Kültür ve sanat çabalarıyla dünya barışına [...]
UNESCO-Paris tarafından büyükelçilikle [...]
Livaneli, otuzdan fazla ulusal ve uluslararas[...]
arasında Barnes & Noble 'Büyük Yazar', San Remo 'Yılın Bestecisi',
Alman 'Plak Eleştirmenleri Birliği', Hollanda 'Edison', İtalya 'Son
50 Yılın En İyi 2. Şarkısı', 'İtalya'nın En Beğendiği Yabancı Şarkı';
Valencia ve Montpellier film festivallerindeki 'En İyi Film' ödülleri,
Antalya Film Festivali'ndeki üç 'Altın Portakal' ödülü sayılabilir.

Kitapları 22 dile çevrilen Livaneli, ilk hikâye kitabını 1978'de
yayınladı. *Arafatta Bir Çocuk* adını taşıyan kitap, İsveç ve Alman tele-
vizyonları tarafından film yapıldı.

Balkan Edebiyat Ödülü'nü kazanan *Engereğin Gözündeki Kamaş-
ma* birçok dile çevrildi; İspanya, Yunanistan, Güney Kore gibi ülke-
lerde en çok satanlar listesine girdi ve dünya basınında övgülerle kar-
şılandı.

Bir Kedi, Bir Adam, Bir Ölüm, 2001 yılı Yunus Nadi Roman Ödü-
lü'nü kazandı. Kitabın yayın hakları birçok ülkenin yanı sıra, Fran-
sa'daki Édition Gallimard tarafından satın alındı.

Yazarın dördüncü edebiyat yapıtı olan *Mutluluk*, Türkiye'de
büyük kitlelere ulaşıp bir 'kült roman' özelliği kazanmasının yanı sıra
Fransa'da Gallimard Yayınevi tarafından yayınlandı ve Nisan 2006'da
Fransa'daki 2000 kütüphanece 'Ayın Kitabı' seçildi; Amerika'nın
büyük yayınevlerinden St. Martin's Press tarafından yayınlandıktan
sonra, Şubat 2007'de Barnes & Noble'ın verdiği 'Büyük Yazar' Ödü-
lü'nü kazandı. 100 bini aşan baskı sayısıyla *Mutluluk* romanı, Abdullah
Oğuz tarafından filme çekildi ve çeşitli dallarda ödül kazandı.

Zülfü Livaneli, yankılar uyandıran romanı *Leyla'nın Evi*'nin ardın-
dan, anılarını *Sevdalım Hayat*'ta topladı.

Livaneli Kitapları

Arafatta Bir Çocuk (Öykü, 1978)
Engereğin Gözündeki Kamaşma (Roman, 1996)
Bir Kedi, Bir Adam, Bir Ölüm (Roman, 2001)
Mutluluk (Roman, 2002)
Gorbaçov'la Devrim Üstüne Konuşmalar (Anı, 2003)
Leyla'nın Evi (Roman, 2006)
Sevdalım Hayat (Anı, 2007)
Son Ada (Roman, 2008)

ÖMER ZÜLFÜ LİVANELİ

SON ADA

2. Basım

Remzi Kitabevi

SON ADA / Ömer Zülfü Livaneli

Editör: Neclâ Feroğlu
Kapak: Ömer Erduran

ISBN 978-975-14-1310-9

BİRİNCİ BASIM: Ekim, 2008
İKİNCİ BASIM: Ekim, 2008

Bu kitabın her basımı 2000 adet olarak yapılmıştır.

Remzi Kitabevi A.Ş., Akmerkez E3-14, 34337 Etiler-İstanbul
Tel (212) 282 2080 Faks (212) 282 2090
www.remzi.com.tr post@remzi.com.tr

Baskı ve cilt: Remzi Kitabevi A.Ş. basım tesisleri
100. Yıl Matbaacılar Sitesi, 196, Bağcılar-İstanbul

Kanım hâlâ tuzlu akar
İstiridyelerin kestiği yerden
ORHAN VELİ

"O" bir gün çıkıp gelene kadar, 'en iyi korunan sır' dediğimiz yeryüzü cennetinde huzur içinde yaşayıp gidiyorduk.

Böyle bir cennet nasıl anlatılır, hatta anlatma girişiminde bulunma cesareti nasıl gösterilir, bilemiyorum. Şimdi size bu küçük adanın çam ormanlarından, doğal bir akvaryum gibi olan masmavi ve saydam denizinden, rengârenk balıkların seyredildiği güzel koylarından, beyaz hayaletler gibi sürekli uçan martılarımızdan söz etsem, biliyorum ki gözünüzde turistik bir kartpostal manzarası canlandırmaktan daha fazla bir iş yapmış olmayacağım.

Bütün anakaralara uzak, geceleri baygın yasemin kokularına bürünerek, kış yaz aynı ılıman iklimle sarılıp sarmalanarak, ağaçların arasında yitip gitmiş kırk eviyle kendine yeterek sürüp giden başlı başına bir dünyaydı burası.

Adanın dingin doğasında, dile söze gelmeyen bir yaşam sırrı gizliydi sanki. Sabahları denizin üstündeki süt beyaz sisi, akşamüstü insanın yüzünü yalayan hafif esintiyi, martı çığlıklarına eşlik eden rüzgârın fısıltısını, lavanta kokularını nasıl anlatmalı? Ya, her şafak vakti gözlerimizi ovuşturarak kalktığımızda önümüze çıkan, sislerle sarılıp sarmalanmış ve havada asılıymış gibi duran ikiz adanın büyülü görüntüsünü? Ya denize dalıp çıkarak avlanan martıları? Ya evlerimizi saran mor bugenvilleri? Ya gece ıhlamurlarını?

Aslında biz bu yaşamın güzel olduğunu düşünmüyorduk bile artık; o kadar alışmıştık ki, yaşayıp gidiyorduk işte. İnsan her gün gördüğü denizin, evinin önündeki kayanın üstüne konan martının güzel olduğunu düşünmez. İki tarafı ağaçlıklı toprak yoldan yürürken, tepede buluşup birbirine girmiş olan dalların nasıl bir gölgelik yarattığını, akşamsefalarının bir mucize gibi birden açıverdiği bahçelerdeki alçak sesli sohbetleri, bazı evlerden belli belirsiz duyulan aşk fısıltılarını da. Bunları sadece yaşar. Ama ben profesyonel ve iyi bir yazar olmadığım için size her şeyi betimlemelerle anlatma yolunu seçiyorum. Aslına bakarsanız bu hikâyeyi size benim yazar arkadaşım anlatmalıydı ama onun hepimizi üzen sonu, böyle bir şeyin yapılmasını olanaksız kılıyor.

Adada benim yıllarca en yakın arkadaşım olan Yazar, bütün bunları kimbilir hangi yazı hüneriyle, eğretilemeyle, metnin içine yedirerek verebilirdi size. Ne yazık ki, adanın ve sevgili arkadaşımın başına gelen korkunç olayları sadece benden öğrenmek durumundasınız. Bu yüzden de postmodern, antiroman, yeni roman vs. gibi karmaşık anlatım tekniklerini bilmeyen benim gibi sıradan bir yazıcıya katlanmak zorundasınız.

Aslına bakarsanız biz o zamanlar bunların anlatılmasını da istemiyor ve adamızı bir sır gibi gizliyorduk. Çünkü giderek deliren dünyamızda böyle bir yerin varlığının bilinmesi pek işimize gelmiyordu. Nasıl olduysa rastlantılarla adayı bulmuş kırk sakin aileydik. Huzurluyduk, kimse kimsenin işine karışmıyordu. Onca yaralanmadan, hayal kırıklığından ve derin acıdan sonra adada edindiğimiz yeni dostları o kadar yürekten seviyordum ki, buraya "Son Ada" adını takmıştım. Evet evet; son ada, son sığınak, son insani köşeydi burası. Tek isteğimiz bu dinginliğin bozulmamasıydı.

Televizyon yayınlarını alamadığımız için çılgın dünyamızda ne olup bittiğine dair haberleri ancak haftada bir uğrayan vapurun getirdiği gazetelerden öğreniyorduk. Bu sakin gezegenimizde, şaraplı bir öğle yemeğinden sonra hamakta içimiz geçmek üzereyken yarı kapalı gözlerimizle okuduğumuz haberler, öteki gezegendeki çılgınlığın artmakta olduğunu gösteriyordu. Ama itiraf etmeliyim ki bunlar bizi ancak uzay savaşları kadar ilgilendiriyordu; her şey öylesine uzaktı bizden.

Meğer yanılıyormuşuz. Ayrı bir gezegen değil, çılgınlığın tam göbeğindeki bir adamışız. Ne var ki, yıllarca sürdürdüğü devlet yönetimini gönülsüzce bırakan Başkan adamıza yerleşirken bile göremedik bu gerçeği. Omuzlarında dünyayı taşır edasıyla yaptığı devlet başkanlığından sonra, dinlenmeye gelmiş olduğuna inandık.

Galiba size biraz adanın geçmişinden söz etmem gerekiyor. Bu ıssız adayı yıllar önce çok zengin bir işadamı almış. Yaşlılık yıllarında da güzel bir malikâne yaptırıp, hizmetçileri ve uşaklarıyla birlikte yerleşmiş buraya. Son yıllarını dünya kavgalarından uzakta, balık tutarak, öğle sonları hamakta uyuyarak geçirmiş.

Bu arada yalnızlıktan canı sıkıldığı için olsa gerek birkaç tanıdığını çağırıp ev yapmaları için teşvik etmiş. İnsanlar gelip, onunki kadar büyük olmayan evler yapmışlar. Adam, gelenlerden arazi parası falan istememiş. Zaten doğal malzemeler kullanılarak imece usulü yapılan, adanın ormanlarından yararlanılarak ortaya çıkarılan kütükten evler için dışarıdan çok az malzeme getirilmiş. Herkes eşine dostuna söyleye söyleye ada kırk eve ulaşmış.

Zengin işadamı bu noktada adaya gelişleri durdurmuş ve daha fazla ev yapılmasına izin vermemiş. Çünkü adanın doğal güzelliğinin, sessizliğinin ve yeşilin bin bir çeşidinin yansıdığı ormanların bozulmasını istememiş.

Patron öldüğü zaman ev büyük oğluna geçmiş. Zaten işle güçle fazla ilgisi olmayan bu yeni patron da adadaki yaşamı sürdürmeyi, anavatandaki karmaşık yöneticilik hayatına tercih etmiş. Zamanla kendisi gibi ada sakinleri de o ailenin adanın sahibi olduğunu unutmuş. Sadece daha büyük bir evde yaşayan sıradan adalılar olarak görülmeye başlamışlar.

Ona 1 Numara dememiz ise adanın en önde gelen insanı, lideri ya da artık çoktan unutmuş olduğumuz sahipliğinden değil, buradaki tuhaf bir gelenekten kaynaklanıyor. Biz buradaki insanlara daha çok ev numaralarıyla sesleniriz.

Hayatta büyük hayal kırıklıkları yaşayan yorgun babamın yolu birtakım tanıdıklarının çağrısıyla bu adaya epeyce geç düştüğü ve kırkla sınırlandırılmış olan ada evlerinin sondan beşincisini yapma fırsatını yakaladığı için bizim aileden 36 Numara diye söz edilir.

Yazar arkadaşım ise burada kendisine ve ailesine ait bir evi olmamasına rağmen, onun kitaplarını seven ve yazmak için sakin bir köşe arayan Yazar'a adadaki evini veren dostu sayesinde, 7 Numara diye anılır. 7 numara, adadaki ilk evlerden biridir. Ulu ağaçların gölgeli bir tünel oluşturduğu toprak yolun başlarındadır.

Evler, haftada bir uğrayan vapurun yanaştığı, daha doğrusu çok büyük olduğu için yanaşamadığı ve açıkta demir atarak, malzemenin küçük motorlarla adaya taşındığı derme çatma iskelenin bulunduğu uçtan başlar; 1, 2, 3... diye 40'a kadar sıralanarak gider. İskelenin yanında, her türlü ihtiyacımızı karşılayan bakkal ve aynı adamın işlettiği günlük taze balıklar ile öteki deniz mahsullerinin sunulduğu basit bir çardak altı bulunur. Ailesiyle birlikte yıllar önce gelmiş ve adaya yerleşmiş, artık adanın ayrılmaz bir parçası olmuş bu emektar adama da kısaca "bakkal" diyoruz. Çünkü onun numarası yoktur. Ada sakinlerinin neredeyse elinde büyümüş olan sakat oğlu ve karısıyla dükkânın arkasındaki küçük, iki odalı müştemilatta yaşar.

Evet! Hikâyeyi anlatmaya başlamadan önce adayla ilgili gerekli bilgileri verebildim mi acaba diye düşünüyorum. Eksik bıraktığım bir şey var mı?

Elbette bütün bunları size çok daha usta bir biçimde, edebi cümleler kurarak aktarabilmeyi isterdim. Konuyu sade bir şekilde anlatmaktan alamıyorum kendimi. Çünkü basit bir anlatıcıyım ben. Şu defterin başında geçirdiğim saatler boyunca kendimi uyarıyorum hep, "Çağdaş yazarların yaptığı gibi yap, anlatılanın değil anlatım biçiminin önemli olduğu bir yapı kurmaya çalış, biraz cesur ol," diye.

Ama bunları çok da önemsemiyorum. Benim amacım size ustalığımı kanıtlamak değil, hikâyemizi anlatmak. Böyle sözler ederek ben de aynı yönteme başvurmuş oldum ve anlatıyı kesintiye uğrattım ama size söz veriyorum, bundan sonra söylemek istediğimi doğrudan doğruya anlatacak ve sizleri sıkmayacağım.

Adadaki günlük yaşamın ayrıntılarını tamamlamak için sözünü etmem gereken birileri daha var. En önemli komşularımız, biz adaya gelmeden binlerce yıl önce buraya yerleşmiş, çoluğa çocuğa karışmış esas sahipler; yani martılar. Martıları belirtmeden bu adayı anlatmaya olanak yok. Vahşi çığlıklarla denize dalıp çıkan, bir-iki karış derinlikten kaptıkları balıkları büyük bir zafer duygusuyla karaya getiren, çıkardıkları çeşitli seslerden ve değişik frekanslardan bir dilleri olduğunu anladığımız martılar. Hiçbir adalının rahatsız etmediği, adanın bazı çakıllı kıyılarının mutlak sahibi olan, yumurtalarını o kayalıklara bırakıp başında analı babalı, gözlerini ufuk çizgisinden ayırmadan, gelecek olası bir düşmanı gözleyerek, tehdit dolu bir duruşla bekleyen martılar. Bazı geceler evlerimizin taş teraslarında, iriyarı bir adamın yürüyüşüne benzer sesler çıkararak dolaşan martılar.

Bu beyaz gölgelerle o kadar içli dışlı olmuştuk ki, artık neredeyse onların kendi aralarında konuştuğu dili öğrenmiştik. Ne zaman kızıyorlar, ne zaman birbirlerini uyarıyorlar, ne zaman aşk sesleri çıkarıyorlar, ne zaman yavrularını azarlıyorlar, anlayabiliyorduk.

Adaya ilk gelenlerin yaptığı en akıllı iş, buranın temel sakinleri olan martıları ürkütmemek, onların yaşamını tehdit etmemek olmuş. Martılar adaya ilk kez ayak basan bu tuhaf yaratıkları kuşkuyla süzmüş, onlardan yumurtalarına ve yavrularına bir zarar gelip gelmeyeceğini anlamak için yıllar süren bir tür sınav uygulamıştır herhalde. Sonunda insanlar ve martılar arasında bir uyum kurulmuş, bu yaban kuşlar ile hayattan kaçan münzevi insanlar sessiz bir sözleşmeyle yaşam alanlarını birbirine karıştırmama konusunda anlaşmışlar.

Bu anlaşma, bir evin satılmasıyla sonsuza kadar değişti. O güne kadar adadaki evlerin hiçbiri satılmamıştı, çünkü sahipleri içinde oturmayı ya da bir yakınlarını göndermeyi tercih ediyordu. Ama 24 numaradaki yaşlı amcamız bir gün kalp krizi geçirip de 18 numarada yaşayan ve büyük bir özveriyle her türlü acımızı dindiren doktor arkadaşımız onu kurtarmayı başaramayınca, merhumun başkentte yaşayan oğlu evi satılığa çıkardı.

Biz bunu, babasını adanın mezarlığına gömmeye bile gelmeyen hayırsız oğlandan değil de gazetelerdeki emlak satış ilanlarından öğrendik. Bu durum, adadaki en büyük heyecan dalgalarından birine yol açtı. Herkes, başkent diskolarında biraz daha eğlenmek için evi satılığa çıkaran ve böylece babasının saygın ismine leke süren bu hayırsız evlada ağzına geleni söyledi. Oysa 24 Numara, adamızın en saygı duyulan insanlarından biriydi. Bizim gibi otuz ile kırk yaş arasını süren ikinci kuşak, rahmetliye büyük bir saygı gösterirdi. Çalışma yaşamı boyunca ülkenin en saygın ve ünlü avukatlarından biri olarak tanınmış olan 24 Numara, adanın sahibini tanıdığı için onun davetiyle gelip adaya yerleşmişti.

Lara ve ben adaya sonradan gelenlerdendik. İçim sızlamadan adını anmayı başaramadığım Lara'nın kim olduğunu birazdan anlatacağım.

İlk günlerde, kimin kim olduğunu anlamaya, onları tanımaya çalıştığım sırada, 24 Numara'dan, yani avukat beyden büyük bir saygıyla söz edilir ve tanıştığım zaman ondan çok etkileneceğim söylenirdi. Ben de bu tanışmayı iple çeker ama avukatı dingin hayatından çekip çıkarmamak için rahatsız etmeye çekinirdim. Böylece evinden pek çıkmayan adamcağızı tanımak, aşağı yukarı adaya gelişimden bir ay kadar sonra mümkün olabildi. O da çok garip bir biçimde...

Bir gün, adaya geldiğim ilk günlerde arkadaş olduğum Yazar'la birlikte denizde yüzüyorduk. Tam kıyıya dönüyorduk ki, biraz ileride yüzmekte olan 24 Numara'yı gördük. Arkadaşım seslendi, tanıştırmak istediği arkadaşının ben olduğunu söyledi. İkimiz birden avukat beye doğru yüzmeye başladık, o da bize doğru kulaç atmaya.

Birbirimize yaklaştığımız sırada, "Efendim, çok memnun oldum, sizi çok tanımak istiyordum zaten, ne şeref!" gibi ancak karada ve giyimli durumda bir anlam ifade edebilecek kibar tanışma sözcüklerini, denizde ve o garip durumda söylemeye başlamıştık. Çünkü eski kuşağa mensup olan avukat bey, saygı uyandıran tok sesiyle böyle aşırı kibar şeyler söylüyordu. Ben de aynı üslupta cevap vermeye çalışıyordum.

Tam o sırada, çok talihsiz bir şey oldu. Kimbilir hangi açık deniz gemisinden atılmış olan ve dalgaların kıyıya bırakmak üzere getirdiği bir zerzevat öbeğinin içinde bulduk kendimizi. Benim ağzıma bir salatalık kabuğu yapıştı. Onu ağzımdan sıyırıp alırken, bir yandan su yutmamaya bir yandan da nezaket cümlelerini tekrarlamaya çalışıyordum. Avukat beyin de alnına ezik bir domates yapışmıştı. Böylece bir yandan yüzmeye çalışırken ağzımızdan yüzümüzden de sebzeleri temizleyerek, aşırı kibar bir tanışma seremonisi yaşadık.

Daha sonra gölgeli teraslarda, ıtır kokulu akşamlarda ilginç sohbetler yürütürken, bu garip ve komik tanışma törenimizi anar, hep birlikte gülerdik. Hatta yazar arkadaşım, bu ilginç karşılaşma üstüne bir hikâye yazacağını söyler, bu arada eliyle gözünün üstündeki hayali bir patlıcanı almaya çalışırken en kibar ve ağdalı cümleler tekrarlardı.

Ama şimdi anlatmaya başlayacağım olaylar sonucunda bu hayalini gerçekleştiremedi ve bu hikâyeyi özetlemek de onun yanında bir hiç olan bana düştü. Avukat hiçbir zaman sözünü etmedi ama sanırım bizim yaşlarımızdaki oğlunun hayırsızlığı ve kendisini hiç arayıp sormaması ağırına gidiyor, Yazar ile bende bir çeşit evlat hasretini gideriyordu.

Ölümünden üç-dört gün önce, güneşin tam tepede olduğu bir öğle vaktinde, koşmaya başlayacağını söylemişti bana. "Kilom epeyce arttı," diyordu, "bu durum tehlikeli. Yakında kıpırdamakta güçlük çekeceğim. Oysa bak ihtiyar martılar uçmayı bırakıyorlar mı? Sürekli olarak gökyüzünde süzülüp duruyorlar, denize dalıp çıkıp yiyecek buluyorlar. İnsanoğlu, bu akıllı yaratıkları örnek almalı. Ben de her gün koşacağım artık."

Onu, aniden gelen bu çılgın ilhamın tehlikelerine karşı uyarmaya çalışmış ve bilmiş bir tavırla, "Hiç olmazsa koşmayın da yürüyün," demiştim. Gülmüştü. "Zaten koşmak dediysem, hızlı yürümek anlamında. Yoksa ben bu yaşta nasıl koşarım."

Birkaç gün sonra bir şafak vakti, adamcağızı ağaçlıklı yolda yatar durumda buldular. Bilinci yerinde değilmiş. Onu kurtarmayı başaramayan doktor, hızlı yürüme yönteminin avukatın kalbine çok fazla geldiğini söyledi.

Adada bir ölüm olduğu zaman iki yöntem uygulanıyordu. Cesedi ya adanın mezarlık olarak ayırdığımız manzaralı bir tepesine gömüyor ya da haftada bir gelen vapurla memlekete yolluyorduk. Ama cesedi vapur gelene kadar ve daha sonraki yolculukta sürekli buz içinde tutmak gerektiği için, memlekete yollamak pek pratik bir yöntem değildi. Müteveffa avukatın —artık böyle anılmaya başlanmıştı adada— yıllar önce bazı tanıdıkları aracılığıyla sağlamış olduğu bir kolaylık sayesinde ölüm ilmühaberini, başkentteki nüfus idaresine bildiriyor ve işlenmesini sağlıyorduk. Yani bu unutulmuş adada yasadışı bir iş yaptığımız da yoktu. Başkentten bir yönetici atanamayacak kadar küçük bir yerleşim birimiydi adamız. Bizi göz ardı etmişlerdi.

Ah unutulmuşluk, terk edilmişlik... Ah yalnızlık!

Meğer ne değerli kavramlarmış bunlar. O dingin hayatlarımız için ne kadar gerekliymiş. Bu satırları yazarken o eski günleri anıyor, yüreğim kanayarak yitirdiğimiz cennete ağıt yakmak istiyorum.

24 numaralı evin, zaten her tarafını sarıp sarmalamış olan sarmaşıklar arasında kaderine terk edileceğini, zamanla acı yeşil bitki örtüsünün evin içine kadar yürüyüp onu yutacağını düşünürken, gazeteleri ölüm ilanlarına kadar okuyan meraklı bir komşumuzun verdiği haberle heyecana kapıldık: 24 numaralı ev satılığa çıkarılmıştı. "Yeryüzü cenneti adada satılık ev" başlığı altında, adamızla ilgili övgülere yer veriliyordu. Bu satış, yıllardır koruduğumuz küçük topluluğun ifşa olması, mahremiyetimizin ihlali ve huzurumuzun bozulması anlamına geliyordu. Bu nedenle aramızda para toplayıp 24 numarayı satın almayı önerenler bile oldu ama adadaki yaşamın rehavetine kapılmış olan bizler, bir türlü bu ge-

rekli kararı alıp uygulamaya koyamadık. Çünkü dünyevi işlere olan ilgimizi yitirmiştik. Hayatımızda ne trafik sıkışıklığı vardı, ne bürokrasi, ne vergi, ne form doldurma, ne banka... Sabah ayağımıza geçirdiğimiz eski bir şortla evden çıkıyor, arkadaşlarla sohbet ediyor, kahve içiyor, bazen denize giriyor, bazen balık tutuyor, ağır ağır akan bir su gibi acele etmeden yaşayıp gidiyorduk. Ada bizi uyuşturmuştu.

Bir gün denizi yara yara süratli bir teknenin bize doğru geldiğini gördük. Hücumbota benziyordu. Geldi, adanın iskelesine yanaştı. İçinden resmi görünümlü, takım elbiseli, siyah gözlüklü, telsizli adamlar indi. Bakkalla bir süre konuştuktan sonra onu da alıp 24 numaraya gittiler. İçeride bir saat kadar kaldılar, içlerinden biri elindeki büyük fotoğraf makinesiyle evin bir sürü fotoğrafını çekti. Sonra adayı dolaştılar ve tekrar hücumbota binip gittiler.

Bizlere ne selam, ne sabah... Onlar ayrıldıktan sonra hemen merakla başına üşüştüğümüz bakkal, hepimizin isimlerini bildiklerini söyledi. Artık apaçık belli olmuştu ki adamıza önemli biri geliyor. Devletle ilişkili, üst düzeyden yani kendi aramızdaki deyişle büyükbaşlardan biri. Ama hayali en geniş olan arkadaşımız –ki bu durumda Yazar oluyordu bu– bile en tepedekinin geleceği tahminini yürütemedi.

Sonra bir gün, "O" geldi. Böylece adamızın tarihi ve talihi sonsuza kadar değişmiş oldu.

Çarşamba sabahı büyük beyaz vapur her zamanki saatinde geldiğinde, çoğumuz merak içinde iskelede toplanmıştık.

Bu merak, gelenin kim olduğuna ilişkin değildi artık. Çünkü aradan geçen birkaç hafta içinde bazı işçiler gelmiş, evin iç ve dış boyasını yenilemiş, bahçeyi düzenlemiş, kırık olan bir-iki camı değiştirmiş, tırabzan tahtalarını ve merdivenleri zımparalayıp cilalamış, evi pırıl pırıl, bizler için yadırganacak bir görünüme sokmuştu.

Bu kişilerin başında iyi giyimli biri bulunuyordu. Belki de sivil giysilerine bu kadar özen göstermesinden dolayı asker olduğunu saklayamayan bu adam, işçileri sürekli kontrol altında tutuyordu. Buna rağmen biz kimin geldiğini öğrenmiştik artık. Ne de olsa insandı işçiler; ağızlarından birkaç söz kaçırmışlardı.

Adamızı, yıllar süren demir yumruk yönetiminden sonra gözden düşen ve ihtilal konseyi tarafından görevine son verilen devlet başkanı şereflendiriyordu. Bu haber hepimiz için tam bir şok olmuştu. Niye geliyordu buraya, ne işi vardı? Onca şatafata, merasime, lükse alışmış olan biri bu adada ne bulabilirdi ki!

Ayrıca daha da kötüsü, bu adamın ülkede dostları olduğu kadar düşmanları da bulunduğu için, adamız bir hedef haline gelecekti. Bir keresinde, zırhlı otomobilinin geçtiği yolda patlatılan bir C4 bombasından, iki sefer de suikastçı kurşunlarından kıl payı kurtulmuştu.

Hatırlıyorum, Başkan gelmeden önce yazar arkadaşımla gece boyunca konuşmuş, kaygılarımızı paylaşmıştık. Doğrusunu söylemem gerekirse ben onun kadar karamsar değildim. Başkan'ın sakin bir emeklilik hayatı sürmek için buralara geliyor olmasını o kadar da olağan dışı bulmuyordum. Kimbilir o törenlerden, hükümet krizlerinden, basından nasıl sıkılmıştı ve artık yaşlı yüreğini, bizim adanın sükûnetine sığınıp basit bir hayat sürerek dinlendirmek istiyordu. Belki de adayı seçmesinin temel nedenlerinden biri güvenlikti. Öyle ya, küçük bir adaya, görünmeden kim yanaşabilir ve bir suikast düzenleyebilirdi.

Yazar arkadaşım ise beni çok saf buluyordu. Ben siyasetle fazla ilgili olmadığımdan, onun durumu abarttığını düşünüyor ve her zaman açıkladıkları gibi "ülkeyi bir iç savaştan kurtarmak için yönetime el koymuş olan Başkan ve arkadaşlarının" niyetlerinin iyi olduğuna inanıyordum. Adadaki sükûnetin bozulacağından korkmalarına rağmen pek çok komşumuz da benim gibi düşünüyor, Başkan'a gereken saygıyı göstermemiz gerektiğini söylüyordu.

Bu düşüncelerle iskelede toplanmış olan bizler, bavulların ve birtakım eşyanın önce vapurdan motora taşındığını gördük. Motor, bizim haftalık nevaleyi de yüklenmiş olarak geldi. Motordan inen üç kişi bavullar ile kutuları 24 numaraya taşımaya başladı.

Motor vapura geri döndü ve seçebildiğimiz kadarıyla merdivenden, görevlilerin özenli desteğiyle beyaz giyimli birkaç kişi bindi. Herhalde hasır şapka giymiş olanı Başkan'dı.

Motor yaklaştıkça yanılmadığımızı gördük. Başkan bembeyaz ve tiril tiril bir takım elbise giymiş, boynuna gri bir kravat bağlamıştı. Gazetelerde yüzlerce kez gördüğümüz, resimlerinden tanıdığımız iradeli yüzüyle bize doğru yaklaşıyordu. Sonunda motor iskeleye bağlandı, yine görevlilerin özenli desteği ve uzattıkları saygılı ellerin yardımıyla Başkan adamıza ayak bastı.

Elinde şık bir baston vardı. Arkasından, eşi olduğunu tahmin ettiğimiz beyaz giysili yaşlı bir hanım ile iki çocuk indi. On iki-on üç yaşlarında görünen biri kız biri erkek iki çocuk.

Doğrusu iskelede toplanmış olan bizler, bu ailenin şıklığı yanında pek döküntü kalıyorduk. Kimimiz mayoyla inmişti iskeleye, kimimiz tek bir şortla; en derli toplumuz kısa bir şort ve fanila giymişti. Kadınların da kimi mayolu, kimi şortluydu.

İçinde yaşadığı koşullar ve iklim insanları değiştiriyor. Adada geçen onca yıldan sonra kravat, ceket gibi giysiler bizi boğar olmuştu. Zamanla hiç fark etmeden tropik adaların yerlileri gibi giyinmeye başlamıştık. Bu yüzden Başkan'a ne kadar acayip göründüğümüzü tahmin etsek bile, onun giysilerinin ve gevşeyip sarkmış gıdısının altından sıkı sıkı bağlamış olduğu kravatının bizde yarattığı dehşet duygusuna engel olamıyorduk.

Başkan iskeleye sağlamca ayak basınca bastonuna dayandı, Amerika kıtasına yeni ayak basmış ve orada yarı çıplak yerlilerle karşılaşmış bir fatih edasıyla bizleri süzdü ve tok bir sesle, "Merhaba arkadaşlar!" diye bağırdı. Bu öylesine tanıdık, eski zamanlardan, özellikle askerliğimizi yaptığımız yıllardan süzülüp gelen bir sesti ki, çoğumuz elimizde olmadan ve kendimizi gülünç duruma düşüreceğimizi hesap edemeden, teftiş gören bir manga gibi sert bir sesle, "Sağ ol!" diye bağırdık.

Yazar ortalıkta yoktu ama meraklı bir adam olduğu için bizleri herhalde bir orman kuytusundan izliyordu. Bunu gözümün önüne getirince biraz önceki sert, "Sağ ol!" yanıtımızdan rahatsız olmadım değil ama iskelede o kadar tuhaf şeyler oluyordu ki adada belki de günlük hayatın tekdüzeliğinden biraz sıkılmış olan bizlere eğlenceli bile geliyordu.

Sonra Başkan tek tek hepimizin elini sıkmaya başladığı için sıraya girdik. Karısı da arkasından geliyor, o da elimizi sıkıyordu. Çocuklar sıkıntı içinde izliyordu bu işin bitmesini. Evet, adamızı tanıtırken size söylemeyi unuttuğum –kimbilir daha böyle kaç şey var– konulardan biri de adada çocuk olmadığıdır. Okul çağında çocukları olan aileler bu adada yaşayamazlardı zaten. Bazı ailelerin çocukları ya da torunları yaz tatillerinde gelir sonra yine ülkeye dönerlerdi. Bu çocuklar da Başkan'ın torunları olmalıydı. Herhalde yaz tatili için gelmişlerdi.

Ey adamız, bize gösterdiğin onca cömertlikten sonra sana bu kötülüğü yaptığımız, düşmanımızı saygı göstererek karşıladığımız, üstelik öne doğru hafifçe eğilerek elini sıktığımız için bizi bağışla!

Sen de öyle yazar arkadaşım. İlk günden beri uyarılarını dinlemediğimiz ve seni nedensiz bir karamsarlıkla suçladığımız için bizi hoş gör!

Şimdi neredesin, özgür müsün, yoksa bir hücrede çile mi dolduruyorsun; sağ mısın, ölü müsün bilemiyorum ama olur da bir gün bu yazdıklarım eline geçerse, sana karşı derin bir mahcubiyet hissettiğimi, yüreğim sızlayarak seni özlediğimi bilmeni isterim.

Keşke tekrar başa dönmek ve bunları hiç yaşamamak mümkün olabilseydi. Başkan adaya hiç gelmemiş olsaydı ya da biz iskelede karşılayıp, ona ve eşine saygıda kusur etmeden 24 numaraya kadar eşlik etmeseydik. Ama ettik; üstelik bununla da yetinmedik, o akşam basit çardak altında taze tutulmuş balıklar ve kendi yaptığımız beyaz şaraptan oluşan bir hoş geldin partisi de düzenledik.

Bunları düşündüğüm zaman yüzüm kızarıyor, yüreğim daralıyor ama o partide ada sakinleri adına bir hoş geldin konuşması yapmak için zorladığımız, halim selim, kendi halinde bir adam olan 1 Numara'nın, yeni komşularımız şerefine kadeh kaldırdığını bile not etmek zorundayım. Hep birlikte ayağa kalkıp, "Hoş geldiniz!" diye haykırışımızı da.

Bizim bu konukseverliğimize karşılık vermek isteyen Başkan, ayağa kalkıp bir konuşma yaptı.

"Sevgili komşularımız," dedi oturaklı bir sesle, "eşim ve ben, adanıza geldiğimiz ilk gün gösterdiğiniz bu müstesna kabul töreni için size minnet ve şükranlarımızı sunuyoruz. Vatanımızın her köşesinin cennet olduğunu bilecek kadar çok yaz, kış, sonbahar ve ilkbahar geçirdim. Ama bu cennet vatan içinde adanızın hakikaten apayrı bir yeri ve insanı sarhoş eden bir güzelliği var. Uzun mücadele yıllarından sonra eşimle birlikte geçirmek istediğimiz mütevazı ve sade hayat için buradan daha uygun bir yer olmadığını ve doğru mekânı bulduğumuzu düşünüyorum. Bu yüzden, bana bu adadan yıllar önce bahsetmiş, hatta ilk evi yaparken beni de burada bir ev yapmaya davet etmiş olan müteveffa arkadaşımı, yani bu adanın ilk sahibini rahmetle anıyorum."

Konuşmanın burasında hepimiz 1 Numara'ya baktık, babasının yaptığı bu davetten haberi olup olmadığını anlamaya çalıştık ama o da en az bizim kadar hayretle dinliyordu Başkan'ın sözlerini.

"O zamanın mücadeleleri içinde değil bu daveti gerçekleştirmeye, adayı gelip görmeye bile vakit bulamamıştım. Ama onun anlattıklarının aklımın bir köşesinde hep kaldığını ve zaman zaman gizli bir pişmanlık duymama yol açtığını itiraf etmeliyim. Bu yüzden tam emekliye ayrıldığım sırada –ayırdıkları değil de ayrıldığım sırada demesine dikkatinizi çekerim– bir gazete ilanında bu adada satılık bir ev olduğunu öğrenmemin, Allah'ın karşıma çıkardığı bir lütuf olduğunu düşündüm..."

Konuşma bu minval üzere devam edip gitti ve Başkan şerefimize kadehini kaldırırken, "Artık biz de sizlerden biriyiz. Ayrı gayrımız yok. Bizi komşunuz olarak kabul etmenizden onur duyuyoruz!" gibi gururumuzu okşayacak sözler söyledi.

Ne saf, ne aptal, ne dünyadan habersiz yaratıklarmışız. Başkan'ın bu konuşması, belki de o güne kadar yaptığı yüzlerce politik konuşmanın muhatapları gibi bizi de heyecanlandırmış, içimizi iyi dilekler ve dostlukla doldurmuş, bu yeni sevimli komşularımızı temiz yüzlü, tonton ihtiyarlar olarak bağrımıza basmamıza yol açmıştı.

Yemekten sonra kahveler içilirken adanın hanımları, Başkan'ın karısının çevresine toplanmışlardı. O da aynen kocası gibi kadınlar grubuna başkanlık eden bir hava içindeydi. Belki de onlar hiçbir şey yapmıyorlardı da bu havayı onlara biz veriyorduk. Akşam güzel, hava yumuşak, denizden esip yüzümüzü yalayan serinletici ve minik su zerrecikleri getiren rüzgâr pek hoştu.

Keşke olmasaydı. Keşke o gece Poseidon, açık denizin karanlıkları arasından kükrese, üstümüze gecenin bütün lanetli fırtınalarını salsa, o uğursuz karşılama törenini paramparça etseydi. Keşke deniz diplerinin bütün canavarları üzerimize çullansaydı. (Bu da fazla süslü cümlelerimden biri mi acaba? Yoksa çok mu edebi? Eğer bu el yazıları bir gün basılma olanağına kavuşursa editör, gereksiz gördüğü paragrafları çıkarır nasıl olsa.)

Yazarın bu toplantıya da gelmediğini söylemeye gerek yok sanırım. O, henüz Başkan'la tanışmayan adadaki tek kişiydi.

Evinde homurtular içinde bize sayıp sövdüğünü duyar gibiydim. Bundan dolayı da içimde bir eziklik duygusu vardı ama ne yapayım, olayları ben yönlendirecek değildim ya. Daha en baştan nasıl öyle kesin tavırlar alabilirdim? Sonuçta, herkes ne yapıyorsa ben de onu yaptım. Evet, pek düşünmedim üstünde, ortama uyup gittim. Bu pek de övünülecek bir şey değil ama ne yapabilirdim ki!

O laynların akışı içinde yazar arkadaşımı iki gün görmedim. Evine uğradığım bir-iki sefer kapıyı açan olmadı. Gerçekten evde değil miydi yoksa beni cezalandırmak için mi açmıyordu, anlayamıyordum ama bana kızgın olduğu kesindi. Hiç aramıyor, ortalığa çıkmıyor, gündelik buluşmalarımızdan uzak duruyordu.

İki gün sonra bir sabah onu Mor Su dediğimiz yerde buldum. Adamızda çakıllarla kaplı birkaç yüzme yeri vardı. Biri Mor Su, biri Lara adlı bir koy, biri de Derin Su. Gününe göre rüzgârın ve dalganın daha az olduğu kıyıyı seçer, yüzmek için orada toplanırdık. Bu üç koy dışındaki kıyılar martılara ayrılmıştı. Onların yaşam alanlarına hiçbir zaman girmezdik. Bu kıyılarda martılar yumurtlar, kuluçkaya yatar, yavrularını korur, insanlara hiç yaklaşmayan yaban bir tür olarak yaşamlarını sürdürürdü.

O gün batı rüzgârı alıyorduk, dolayısıyla o rüzgâra açık olan Mor Su'yu değil, ötekilerden birini seçmem gerekiyordu ama garip bir önseziyle Mor Su'ya yöneldim. Belki de hiçbirimizi görmek istemeyen Yazar'ın, böyle bir aykırılık yapacağını hissetmiştim. Gerçekten de yanılmamışım. Arkadaşımı Mor Su'da, buraya adını veren mor dalgaların kabarışını izler ve rüzgârda dağılan uzun saçlarını toplamaya çalışırken buldum. Ayak seslerimi duyduğu halde başını çevirmedi, gelenin kim olduğuna bakmadı. Benim geldiğimi anlamış olmalıydı.

Hiç ses çıkarmadan yanına oturdum. Bir süre kabararak üstümüze gelen, kıyıdaki sonsuz gelgit oyununu tekrarlayan denizi, sulara dalıp çıkan martıları izledik. Sonra, "Bu kıyıda avukat beyle tanışmamızı hatırlıyor musun?" dedim.

"Evet!"

"Ne matraktı di mi?" dedim.

"Evet."

"Müşerref oldum beyefendi!" dedim ve bu arada ağzımdan bir salatalık kabuğunu çekip atıyor numarası yaptım. Hiç gülmedi. Sonra yine bir sessizlik oldu. Eline aldığı bir dal parçasıyla çakıllara birtakım şekiller çizmeye çalışıp duruyordu ama ne yaptığının farkında değil gibiydi.

Sakin görünüşünün altında çok öfkeli ve gergin olduğunu hissedebiliyordum. Kendini o kadar kasmıştı ki neredeyse ince gövdesindeki adalelerin seğirdiğini görebiliyordum. Bir süre sessizlikten sonra şöyle dedim:

"Sence bir insan, kendisine yapılan kötülükleri karşısındakilere aynen uygularsa doğru davranmış olur mu?"

Cevap verip vermemeyi düşünürmüş gibi biraz bekledi, sonra, "Kim olduğuna bağlı!" dedi.

Yine karşılıklı sustuk. Daha sonra şu tuhaf konuşma geçti aramızda:

"Sana kötülük yapmış olanlara, aynı yöntemlerle cevap vermek doğrudur mu diyorsun?"

"Ne demek istiyorsun sen?"

"Bu tutum onların bizlere daha önce yaptıklarını aynen tekrarlamak anlamına gelmez mi?"

"Sen sahiden bu kadar saf mısın, yoksa numara mı yapıyorsun?"

Bunu sorarken ilk kez yüzüme bakmıştı.

"Belki safım, siyaseti de senin kadar iyi bilmiyorum ama ne yapmış olursa olsun..."

"Sen gerçekten neden söz ettiğini bilmiyorsun."

"...o da bir insan!"

"Şaşırmışsın sen!"

"Olabilir ama bu durumda ne yapalım. İki yaşlı insanı tutup denize mi atalım? Hem de torunlarıyla."

Dişlerinin arasından, "Bu bile az gelir!" diye homurdandığını duydum. İçindeki nefretin yoğunluğunu hissetmek beni ürpertti. Aramızda, konuşmayla aşılamayacak kadar büyük bir engelin oluştuğunu görüyordum ama bir yandan da onu zorlayarak bu konuda fikir birliğine varma, yakınlaşma isteğimin önüne geçemiyordum. Çünkü onu çok seviyordum. Bunu kendisine söyleyemezdim, böyle sululuklardan hoşlanmazdı ama size itiraf edebilirim. Hayatta en değer verdiğim dostumdu.

Çoğu zaman Derin Su'da çocuklaşır, iki ayrı yerden suya dalar, sonra derinliklerde birbirimizi bularak el ele tutuşur ve bir zafer kazanmış edasıyla suyun yüzüne fırlardık. Sudan, önce birbirine tutunmuş dört el çıkardı, sonra da biz. Akşamüstleri ya onun ya bizim bahçede iki kadeh parlatırken, edebiyattan, hayattan, insanlardan konuşurduk. Ama geçmişinden hiç söz etmezdi. Kimdi, niye yalnız yaşıyordu, adaya gelmeden önce neler yapmıştı? Bu konular tabuydu onun için; hayatını hiç konuşmaz, söz dönüp dolaşıp kendisine gelirse sinirli bir tavırla lafı değiştirirdi.

Yıllardır birlikte yaşadığım sevgilim, bir tanem de çok severdi onu ve yalnızlığına bir çare bulmak isterdi. Ama adada böyle bir olanak yoktu. Zaten Yazar da durumundan şikâyetçi görünmüyordu. Kişiliğinin bir noktasına sanki bir Ortaçağ şövalye zırhı geçirmişti, oradan ötesine geçmek mümkün olmuyordu.

Genellikle suskun bir adamdı. İnce yüzünde, güldüğü zaman bile azalmayan dertli bir ifade vardı. Sadece edebiyat konuşurken canlandığını görürdüm.

Bir de şunu eklemeliyim ki, her zaman çok insafsız bir eleştirmendi. Yaptığım yazı denemelerini ona götürür, nasıl bulduğunu sorardım. O da bana şöyle şeyler söylerdi: "Senin adın Marcel mi?" Ben, "Hayır!" derdim. O, "Ama Marcel Proust gibi yazmışsın," diye devam ederdi: "Proustvari bir metin ortaya çıkarmaya çalışmışsın ama şunu unutma ki Proust olmak ile Proustvari olmak arasında dağlar kadar fark vardır. Bu biçim, Marcel adlı Parisli yazarın o koşullar içinde bulduğu, kendine özgü bir biçimdir, kendi sesidir. Sen de anlatıda kendi sesini bulmalısın. Yoksa yazdığın şey Proust'tan daha iyi olsa bile Proust taklidi olarak kalır."

Böyle paparaları yiyen ben nedense alınmaz, yazı odama daha bir şevkle kapanır ve yeni metinler ortaya çıkarırdım. Yine beğenmezdi. Parmağını tehditkâr bir ifadeyle sallayarak, "Seni seni!" derdi. "Bu sefer de yakaladım. Senin adın Jorge Louis mi? Son günlerde Borges mi okudun?"

Yüzüm kızararak itiraf ederdim ki evet, Borges okumuş, çok etkisinde kalmış ve onun gibi bir şeyler yazmak istemiştim. "Unutma," derdi tekrar, "kendi sesin! İşte en önemli şey bu. Senin sesin! Dünyada hiçbir tarza, hiçbir modaya oturtulamayacak kadar senin olan bir üslup. Elin gibi, gözün, bakışın, gülüşün gibi senden bir parça."

Sevgili dostum, acımasız öğretmenim, şimdi bu satırları okuyabilseydin nasıl bulurdun acaba? İşte belki de ilk kez senin istediğin gibi biçim denemeleri yapmadan yazıyorum, kimseye özenmiyorum, kaba saba da olsa, hantal da görünse, arada bir saçmalasam da, hiçbir yazın değeri taşımasa da kendim anlatıyorum hikâyemi. Çünkü bu sefer bir derdim var ve onu anlatmam gerekiyor. Hani sen, her hikâye kendi biçimini bulur derdin ya, galiba öyle oluyor; anlattıkça roman –Tanrım, ne büyük bir kelime bu!– kendi biçimini oluşturuyor.

Mor Su'daki o gergin konuşmanın sonunda bana biraz acımış olmalıydı ki, "Bak," demişti, "siyasetle ilgin olmadığını biliyorum ama yaşadığın dünyaya gözlerini bu kadar kapatmaya hakkın yok. Ülkenin yıllardır kanadığını, kutuplaştığını, insanların birbirine karşı kamplar halinde bölünüp kışkırtıldığını biliyorsun, değil mi?"

"Biliyorum elbette!"

"Aralarına nefret tohumları ekilen etnik, dini ne kadar grup varsa, bunların durmadan birbirini öldürdüğünü, kan davasının giderek azgınlaştığını da biliyorsun!"

"Tabii!"

Konuşmanın burasında ayağa kalkmış ve sesini yükselterek bana şöyle demişti:

"Her şeyi biliyorsun birader ama bir tek, insanlarımızı kimin kamplara böldüğünü, bu kan davasını kimin isteyerek, planlayarak başlattığını bilmiyorsun!"

Sonra beni Mor Su'da tek başıma bıraktın gitti. Ben arkandan bakakaldım.

Anlaşılan o gün Derin Su'ya gidip, denizin derinliklerinde birbirimizin elini arayacak durumda değildik.

aşkan ve ailesinin adaya yerleştiği ilk günlere ait pek bir şey yok aklımda. Evlerine çekilmişlerdi, onları pek görmüyorduk. Ada, eski durgun ve yavaş akan hayatına geri dönmüş gibiydi. Tek değişiklik, Başkan ailesinin yerleşmesine yardım etmek için adada kalan, kıyıya yanaşmış resmi bir teknenin içinde uyuyan ve yine asker olduğunu tahmin ettiğimiz sivil giyimli üç kişiydi.

Bu kara gözlüklü, disiplinli, ciddi görünümlü genç adamlar kimseyle konuşmuyor, hiçbir adalıyla ilişki kurmuyor hatta özel bir dikkatle, belki de zehirlenmekten korktukları için bakkaldan alışveriş bile etmeden yemeklerini teknede yiyordu. Adanın her tarafını gezdiklerini, incelediklerini, notlar aldıklarını görüyorduk. Belli ki Başkan'a yönelebilecek tehlikeleri, adanın güvenlik durumunu gözden geçiriyorlardı.

Bu adamların bir süre sonra adayı terk edeceğini, geçici olduklarını bildiğimiz için onlara fazla aldırmıyorduk doğrusu. Keyfimiz yerine gelmişti, çünkü yeni komşuların adada hiçbir şeyi değiştirmeyeceğine inanmaya başlamıştık. Ada, ülkeden çok uzak olduğu için gazetecilerle çevrelenme riski de yoktu. Belki de kendisi adına doğru bir seçim yapmıştı Başkan.

Mor Su'daki konuşmamızdan sonra Yazar'ın söyledikle-rini uzun uzun düşünme fırsatım olmuştu. Evet, dedikleri doğruydu; ne yazık ki mor dağları, derin uçurumları, mavi denizleri ve barışçı halkıyla ünlü olan anayurdumuz, yıllar-dır bir türlü sonu gelmeyen iç çatışmalarla sarsılıyor, şidde-tin önü bir türlü alınamıyordu. Haftada bir gelen gazeteleri okuduğumuz zaman içimiz burkuluyor, bu şiddet tutkusu-nun nasıl bütün ülkeyi kapladığını anlamakta güçlük çeki-yorduk. Çocukluğumuzun o sakin, huzur dolu, güzel ülke-sinde, çeşitli etnik gruplar, mezhepler, silahlı örgütler, böl-gesel güçler hem devlete hem de birbirlerine karşı çarpışı-yordu.

Bazen bu gruplardan biri devletle yakınlaşıyor, askerler-le birlikte hasmına saldırıyor, sonra bir değişiklik oluyor ve devlet başka gruplarla ittifak kuruyordu.

Binlerce kişinin tutuklu olduğu hapishanelerden sık sık iş-kencede ölüm haberleri geliyordu. Yabancı basın ülkemizde-ki insan hakları ihlallerini sürekli olarak gündemde tutuyor, iş başındaki ihtilal hükümetini kınıyordu. Eskiden barış için-de yaşayan bu insanların nasıl olup da böyle kanlı düşmanla-ra dönüştüğünü anlayamıyorduk ama artık bu grupların tek-rar dost olabilmesinin, bir arada yaşamasının mümkün ol-madığını da kavrıyorduk.

Bütün bu haberler ağzımızda buruk bir tat yaratmasına rağmen, birbirimize değil kendimize bile itiraf edemediğimiz bir bencillikle, "Aman iyi ki buraya geldik de bu belalardan kurtulduk!" diye düşünüyorduk. Tanrı'nın şanslı kullarıydık doğrusu.

Gazetelerde Başkan'ı hep "Milletin Babası" sıfatıyla, kur-tarıcı olarak okurduk. Arada bir yaptığı resmi konuşmalar-da bölünmeden, ülkenin kıyısına geldiği uçurumdan, yaban-cı güçleri, düşman ülkelerin beşinci kol faaliyetlerini sorumlu tutar, darbeyi, milli birlik ve beraberliği tekrar sağlamak, ülkeyi bütünleştirmek için yaptıklarını belirtirdi.

Milli bayram günlerinde onu ya açık arabasından halkı selamlarken ya da bir çocuğun başını okşarken görürdük. Bazen, kimsesiz çocuklar yurdu, huzurevi gibi yerlere yaptığı ziyaretler basına yansır, bu haberleri mutlaka Başkan'ın çocuklara ya da yaşlılara çeşitli hediyeler verirken çektirdiği fotoğraflar süslerdi.

Fotoğraf deyince hatırladım, o günlerden aklımda kalan bir ayrıntı da toplu resim çekilmesi.

İşte plansız yazmanın, oradan oraya savrulmanın, romanı çağrışımlar yoluyla sürdürmenin yarattığı bir durum daha. Oysa bu fotoğraf işi, ileride de anlaşılacağı gibi son derece önemliydi.

Başkan'ın, adaya taşınmasını komşularıyla birlikte toplu resim çektirerek "ebedileştirmek" istediği bildirildi hepimize. Ertesi sabah iskelede buluşacaktık. Bakkalın evleri tek tek dolaşarak getirdiği bu haber üzerine yüzümü kızartarak Yazar'a gittim.

"Nasıl olsa tanışacaksın, yıllar boyunca saklanamazsın, en iyisi, resim çektirme bahanesiyle iskeleye gel, kısaca tanı, sonra yine görüşme," dedim. Yoksa dikkatleri daha çok üstüne çekeceğine, Başkan'ın kendisini rahat bırakmayacağına onu inandırmayı başardım sanıyorum ki, ertesi sabah o da iskelede belirdi. Kalabalığın arasına karışması dikkat bile çekmedi aslında. Çünkü benden başka kimse Yazar'ın ortalıkta görünmediğinin farkında değildi. Zaten Başkan da komşularını tek tek tanıyacak vakti henüz bulamamıştı.

Ortamıza Başkan ve eşini alarak grup halinde durduk. Başkan'ın görevli adamları yumuşak sabah güneşinin yüzlerimize vurmasını sağlayacak biçimde yönlendirdiler bizi. İşini çok iyi yapan bir düğün fotoğrafçısı gibi hepimizin duruşunu ayarladı, herkesin düzgün bir biçimde kadraja girmesini sağladılar. Sonra ellerindeki gelişmiş, büyük fotoğraf makinesiyle birçok açıdan resmimizi aldılar.

Ah benim şu saf kafam, ah benim şu kahrolası naifliğim! Fotoğraf çekme meselesini Başkan'ın güzel bir jesti, bir dostluk simgesi olarak görmüştüm. İşin yapılışındaki garipliği, görevlilerin böyle kılı kırk yararcasına, profesyonel makinelerle herkesin görünmesini sağlayacak biçimde özel bir dikkatle resim çektiğini atlamışım. Bunu, yaşlı bir adamın yeni hayatına başlarken edindiği komşularıyla bir hatıra fotoğrafı çektirmek istemesi olarak görmüştüm.

Hatta yazar arkadaşımı da grubun içine katmakla, ileride doğabilecek birçok anlaşmazlığın önüne geçtiğimi düşünüyor, kendimle gurur duyuyordum.

Bilmem beni bağışlayabilecek misin? Eğer o gün sana bu kadar ısrar etmeseydim, bu toplu fotoğrafta yer almayacaktın ve başına gelen felaketleri de yaşamayacaktın. Belki yaşadığımız felaket yine gerçekleşecekti, buna zaten engel olamayacaktık ama yine de bu fotoğraf çekiminin bir tuzak olduğunu görmeliydim. Akıllı düşmanından daha çok zarar veren aptal bir dostluk yapmıştım sana. Şimdi ise çok geç; hem sana ne kadar pişman olduğumu, yüreğimin nasıl üzüntüyle burkulduğunu söyleme olanağını bulamam, hem de bunun artık hiçbirimize bir yararı yok.

Fotoğraf çekiminden iki gün sonra, adadaki ilk küçük şokumuzu yaşadığımızı anlatmalıyım. Hani daha önce sözünü ettiğim ağaçlık yolumuzu hatırlıyor musunuz? İki yanına ulu ağaçların sıralandığı ve bu ağaçların yukarıda birbirine girerek doğal bir gölgelik oluşturduğu, yeşil bir tünele benzeyen serin yolumuz... Öğle güneşi altında bakkaldan ya da iskeleden kan ter içinde eve dönerken bu yola girer girmez, kuytu yeşil ormanların gölgeli serinliğiyle ferahlardık. Başımızın üzerindeki gölgelik öylesine sıktı ki güneşi görmüyorduk bile. Bu doğa harikası, adadaki en büyük hazinelerimizden biriydi.

Bir gün o yoldaki ağaçların budanmaya başladığını görme bahtsızlığını yaşadık. Başkan'ın adamları büyük bir beceriyle ağaçları buduyor, onları birer yeşil duvar oluşturacak şekilde kesip biçiyordu. Bu çevik adamların yetenekleri ve maharetleri o düzeydeydi ki ağaçlara kolaylıkla tırmanıyor, yukarıda birleşen dalları süratle kesiyorlardı. Biz olayı duyup gelene kadar ağaçların yarısı budanmıştı bile. Yola toplanmış olan zavallı adalıların şaşkın bakışları arasında iki yanımızda muntazam duvarlar oluşmaya başlamış, o doğal, kendi haline bırakılmış ağaçlar, Versailles bahçelerindeki bahçıvanların şekil verdiği yeşil heykellere dönüşmüştü. En korkuncu da artık tepemizdeki gölgeliğin kalmamış olmasıydı. Güneş doğrudan doğruya yola vuruyordu. Tahmin edebileceğiniz gibi ilk şaşkınlık anını atlatır atlatmaz adamları durdurmaya çalışmıştık ama bizim yüzümüze bile bakmıyor ve işlerine devam ederken, "Başkan'ın emri! Onunla konuşun!" diyorlardı.

Baktık ki adamlara söz dinletemeyeceğiz, apar topar Başkan'ın evine koşup kapısını çaldık. Onu görür görmez, "Aman şu adamları hemen durdurun! Göz göre ağaçlarımızı mahvediyorlar!" diyecektik. Kapıyı kız torunu açtı. Ona hemen Başkan'ı görmek istediğimizi söyledik, hatta en aceleci birkaç kişi içeri girme girişiminde bile bulundu sanıyorum. Ama kız yüzümüze şaşkınlıkla baktı, sanki siz kim oluyor da böyle apar topar benim devlet başkanı dedemi görmeye geliyorsunuz der gibiydi. Sonra, "Dedem çalışıyor," dedi, "rahatsız edilmeyi hiç sevmez!"

Büyümüş de küçülmüş gibi görünen kıza diller döktük, çok acil bir durum olduğunu söyledik ama söz dinletemedik: "Çalışırken dedemin odasına gitmemiz, kapısını çalmamız kesinlikle yasaktır!" dedi. "Ben bile giremem. Saat 12'de gelin."

Ve yüzümüze kapıyı güzelce kapattı. Birbirimize baktık, sonra tekrar yola koştuk. Artık Başkan'ı görsek de faydası yoktu, iş işten geçmişti. Ağaçların çoğu budanmış, yeşil duvarların muntazam keskinliği iyice ortaya çıkmıştı. Ağlamak geliyordu içimden. 1 Numara, "Bu işte bir yanlışlık olmalı!" dedi. "Başkan böyle bir emir vermiş olamaz. Herhalde bu adamlar yanlış anladılar. Yoksa Başkan durup dururken, adamızın can damarı yolunun yeşilliğini niçin yok etsin."

Birkaç kişi daha ona hak verdi. Herhalde ortada korkunç bir yanlış anlama vardı; belki de Başkan kendi bahçesindeki ağaçların budanmasını emretmişti de adamlar bunu yoldaki ağaçlar olarak anlamışlardı. Sonunda çoğunluk bu görüşe katıldı. "Evet, evet!" dediler. "Bu, büyük bir yanlışlık. Başkan'ımız böyle bir emir vermiş olamaz. Yazık oldu ama ne yapalım, ağaçlar yine büyür!"

Sadece benim içimde, işin böyle olmadığına dair büyük bir kuşku belirmişti. Çünkü Yazar'ın sözlerini ve beni safdillikle suçlamasını aklımdan çıkaramıyordum. Saat tam 12'de ziyaretine gittiğimiz Başkan da bunu doğruladı zaten.

"Bakın değerli komşularım," dedi, "siz belki uzun yıllardır burada yaşadığınız için gözünün önünde olup biten bazı düzensizliklere, kargaşaya, intizamsızlığa alışmışsınız. Her şeyi başıboş, kendi haline bırakmışsınız. Oysa insan toplumları böyle yaşayamaz. Hem kendine, hem oturduğu yere çekidüzen vermek medeniyet icabıdır. Gelir gelmez gözüme ilk çarpan şey, toprak yoldaki o korkunç manzara oldu. Ağaçlar alıp başını gitmiş, birbirine dolanmış, burayı insanların yaşadığı medeni bir yer manzarasından uzaklaştırmış. Adamlarım gitmeden önce bu işi hallettikleri için onlara minnettar kalmalısınız. Bundan böyle o yoldan gelip geçerken, iki yanınızdaki muntazam, insan eli değmiş, park ve bahçe geleneklerine göre düzenlenmiş, budanmış, ferahlamış ağaçları görecek ve adanızla bir kez daha gurur duyacaksınız."

24 numaranın bahçesindeydik, ayakta duruyorduk. Baş- kan verandada olduğu için bizden biraz daha yüksekteydi. Beyaz bir pantolon ve tiril tiril beyaz bir gömlek giymiş, güneş gözlüğü takmıştı. Ayağında da beyaz mokasen pabuçlar vardı. Elini cebine sokmuş, başı biraz yukarıda, o etkileyici ses tonuyla konuşuyor, oraya şikâyet etmek için gelmiş olan bizleri neredeyse o ağaçları kendi haline bırakmış olduğumuz için özür dileyecek duruma getiriyordu. Bizden de 1 Numara'nın pantolon giymiş olduğunu fark ettim. Oysa gece gündüz şortla dolaşır, hiç pantolon giymezdi.

Aramızdan bir-iki kişi cılız bir sesle itiraz edecek oldu, "Ama yeşillik, gölgelik..." falan diye bir şeyler mırıldandılar. Başkan bu fısıltılara kulak kesildi; elini kulağına götürerek "Efendim?" dedi, "iyi duyamadım, bir daha söyler misiniz?"

Bunun üzerine itirazda bulananlar, utana sıkıla bunları daha yüksek sesle tekrarlamak zorunda kaldı. "Efendim, o ağaçların yukarıda birleşmiş olan dalları müthiş bir gölge sağlıyordu. Şimdi bunlar yok. Kabak gibi güneşin altında kaldık," dediler.

"Hımmm!" dedi Başkan. Düşünceli bir tavırla hepimizi süzdü. "Demek ki aramızda fikir ayrılığı var. Bazı konularda farklı düşünüyoruz. Bu doğaldır ve bunları öğrenmem iyi oldu. İnsanlar her şeyi konuşa konuşa halleder. O zaman bana izin verin bu konu üzerinde biraz düşüneyim değerli komşularım. Sanırım yakında size bir teklifte bulunacağım."

Konuşma bitmişti. Bizler evlerimize dağılırken, bu önerinin ne olacağı üzerinde kafa yormaya başlamıştık bile. Artık adanın gündemini Başkan belirliyordu!

Son günlerde aramıza karışmayan, yabani bir martı gibi kendini dağlara taşlara vuran, gününü kıyıda oturup denize taş atmakla geçiren Yazar ise o akşam evine gidip de başımıza gelenleri anlattığımda bana tek bir cümle söyledi:

"Oyun daha yeni başlıyor benim saf arkadaşım!"

Yolun çıplak haline bir türlü alışamamıştık, her gelip geçtiğimizde –ki bu, günde en az üç kez oluyordu– kendimizi kafası yeni usturaya vurulmuş ve bu dazlaklığa alışamamış bir insan gibi hissediyorduk. Güneş olanca hışmıyla tepemizdeydi. Bu iş, martıların da kafasını en az bizimki kadar karıştırmış olmalı ki sürüler halinde yolun üzerinde toplanıyor, eskiden yolu görmelerini engelleyen birbirine girmiş ağaç dallarının gerçekten orada olup olmadığından emin olmak ister gibi pike yapıp duruyorlardı. Bir-iki kez benim de başımın üstünden yıldırım gibi geçtiler.

Bu kuşlar çok süratlidir ve yakınına geldiği zaman insanı gerçekten korkutur. Uzaktan beyaz gövdeleri, havadaki enfes süzülüşleri ve hatta çığlıklarıyla martıları yakından gördüğünüzde korkarsınız. Çünkü insanla hiç yakınlaşmayan, vahşi görünüşlü yırtıcı hayvanlardır; ayrıca adada edindiğimiz deneyimlere göre çok da zekidirler. Hem içgüdüleri, hem de öğrenme yetenekleri çok yüksektir.

Bu konuda yapılmış bir deney okuduğumu hatırlıyorum: İki ayrı martı türünün yumurtalarını değiştirmişler. Her yıl göç eden gümüş martıların yumurtaları ile göç etmeyen kara sırtlı martıların yumurtalarından çıkan dokuz yüz martı yavrusu, yanlış anneler tarafından eğitilmiş. Sonra bu yavruların göç hareketleri izlenmiş.

Asıl ana babası göç etmeyen martı yavruları sahte ana babalarının peşine takılıp Fransa ve İspanya'ya göç etmişler. Aslında göçmen olan ama göçmeyen ana baba tarafından yetiştirilen martılar ise içgüdülerine uyup yine göç etmişler. Bu deney, martıların hem içgüdülerinin hem de öğrenme yeteneklerinin çok yüksek olduğunu kanıtlamış. Bizim martılar hiç göç etmeyen türden oldukları ve yanlış ana babalar tarafından yetiştirilmedikleri için sürekli olarak adada kalırlardı.

Bu ilginç bilgileri okuyor, martılar hakkında konuşuyorduk ama onlara yaklaşabilenimiz yoktu. Adayı paylaşmış bir şekilde, kendi köşelerimizde birbirimizi rahatsız etmeden yaşıyorduk. Martılarla en büyük ilişkimiz, balığa çıktığımız zaman onlara verdiğimiz, deyim yerindeyse, "rüşvet"ti. Balıkla dolu olan teknelerimiz dönüş yolundayken çevremizi saran martılara bir-iki istavrit, mercan ya da izmarit atma âdeti geliştirmiştik. Onlar da bu işe o kadar alışmıştı ki balık atmadığımız zaman âdeta tehdit eder gibi üzerimize pikeler yapardı. Bu durum, aramızda tuhaf bir oyuna dönüşmüştü. Bazen de geceleri terasta yürüdüklerini duyardık.

Ama ağaçlar budandığında, onlar da herhalde meraktan olsa gerek, bizleri ürkütecek kadar keskin dalışlar yapıyordu. Dediğim gibi biz bunlara alışık olduğumuz için fazla aldırmıyorduk, çünkü şimdiye kadar kimseye zarar verdikleri görülmemişti. Ama ne yazık ki bu durum martılara alışık olmayanlarda paniğe yol açabiliyordu. Ağaçların kesilmesinden sonra kabak Başkan'ın torunun başına patladı. Dedesinin günahını o kız ödedi.

Bakkaldan aldığı gofreti yiyerek eve dönerken martılar kızcağızın üstüne pike yapmışlar. O da birdenbire paniğe kapılmış, elleriyle başını korumaya çalışarak koşmaya başlamış.

Sonra o kargaşa içinde ayağı bir dala takılarak yere yuvarlanmış, sol kolunu fena halde incitmiş. Onu bulduklarında çığlık çığlığa bağırıyor, hâlâ martıların üstüne geldiğini sanıyormuş. Bu büyük korku yetmiyormuş gibi ertesi gün de incinen, fena burkulan kolunun rengi patlıcan moruna dönüşmüş. Doktor arkadaşımız kızın kolunu özenle sarıp boynuna assa da hemen iyileşmemiş.

Hepimiz bu talihsizliğe çok üzüldük, ada halkı adına Başkan'a bir geçmiş olsun ziyaretinde bulunmayı bile düşündük ama buna cesaret edemedik. İki gün sonra o bizi toplayana kadar, torununun başına gelen talihsizlikten dolayı iyi dileklerimizi ona iletme fırsatı bulamadık.

Bakkalın, ada tarihinde ilk kez görülen bir uygulamayla, hepimizin evine tek tek dağıttığı bildiri, ertesi gün akşamüstü 6'da çardak altında bulunmamızı rica ediyordu. Altında Başkan'ın imzası vardı.

Bu davet kâğıdı bende tuhaf bir geçmişe özlem duygusu yarattı. Başkentte yaşadığım yıllarda böyle bir sürü çağrı, davetiye, vergi bildirimi vs. alırdım ama bütün bunlar öyle eskide kalmıştı ki. Arada bir vapura binip memlekete giden ve birkaç ay kalanlarımız olurdu ama ben uzun süredir gitmemiştim. Otomobille dolu gürültülü caddeleri, barları, sinemaları, kalabalık lokantaları özlememiştim. Belki de özlemediğimi sanıyordum. Bakkalın getirdiği toplantı çağrısı bütün şehir kargaşasını olanca haşmetiyle geri getirdi. O gece rahat uyuyamadım.

Ertesi gün akşamüstü saat tam 6'da —Yazar dahil olmak üzere— çardak altında buluştuk. Başkan yine beyaz giysileri içinde, daha yeni tıraş olmuş gibi terütaze, pembe-beyaz, kılcal damarları görünen cildiyle karşımızdaydı işte. Masalar birleştirilmiş ve bir kare oluşturacak biçimde dizilmişti. Başkan bir kenarın tam ortasında oturuyordu. Pantolon giyen kişilerin sayısında artış olduğu dikkatimi çekti. Birkaç komşumuz daha 1 Numara'ya katılmıştı.

Çardak altına geldiğimiz zaman Başkan ve eşine geçmiş olsun dileklerimizi sunduk, çok üzülmüştük doğrusu, adamıza gelir gelmez böyle bir talihsizlikle karşılaştıkları için, hiçbir suçumuz olmasa bile özür dilemek istiyor, sevimli torunlarına acil şifalar diliyorduk. Aslında o büyümüş de küçülmüş, çokbilmiş kızı biraz sevimsiz buluyorduk ama böyle söylemek gerekiyordu. Bu dileklerimizi mağrur ama anlayışlı bir tavırla kabul ettiler.

Hepimiz yerimizi aldıktan sonra Başkan akıcı konuşmasıyla bize önemli şeyler söyledi. Önce medeniyetin ne olduğu, insan topluluklarının nasıl yaşaması gerektiği, nizam intizam gibi genel konulardaki düşüncelerini açıkladı, sonra, "Geçen gün ağaçların budanması konusunu görüşürken bazı arkadaşlarınız bu uygulamayı doğru bulmadıklarını belirttiler," dedi. Gözlerini hepimizin yüzünde gezdirerek sordu:

"Doğru mu?"

"Doğru!"

"Güzel," dedi. "Demek ki bu adada nasıl yaşanması, adanın nasıl idare edilmesi konusunda fikir ayrılıkları var. Doğru mu arkadaşlar?"

Yine yüzümüze bakıyordu. Hep bir ağızdan "Doğru!" dedik.

"Sağ olun!" dedi. Niye sağ olun dediğini anlayamadık.

"Her kafadan bir ses çıktığı, değişik fikirlerin düzene sokulamadığı sisteme ne ad verilir arkadaşlar?"

Bu soruya öncekiler kadar rahat cevap veremedik. Birikimiz "muhalefet" falan diye saçmaladı. Biri "çok partili rejim" dedi, hatta iyice şaşıran biri "terör" diye bir şey kaçırdı ağzından. Hepimiz kendimizi sorguya çekiliyormuş gibi hissediyor, bir şeyler söylemek zorunda kalıyorduk. Çünkü

Başkan'ın gözleri üzerimize dikilmişti ve cevap vermemek suçlu duruma düşmek gibi bir şeydi.

"Hayır değerli komşularım," dedi. "Ben söyleyeyim, anarşi, anarşi! Her kafadan bir sesin çıktığı sistemin adı anarşidir! Doğru mu?"

Bu kez hep bir ağızdan, "Doğru!" diye bağırdık. Hep bir ağızdan dediysem sözün gelişi, yoksa masanın Başkan'a en uzak köşesinde oturan ve arada bir gözümün iliştiği Yazar sürekli olarak önüne bakıyor, masada bulduğu bir böceği inceler gibi gözünü bir noktadan ayırmıyordu.

Bu arada bakkal, birkaç kişinin isteğine uyarak çay ve su taşıyan bir tepsiyle masalara yaklaştı. Başkan sert bir sesle, "Hayır!" diye onu durdurdu. "Bu işi sonra yapın! Şimdi çalışıyoruz, ciddi bir toplantı içindeyiz. İnsan yarım saat çay kahve içmese ölmez, değil mi arkadaşlar. Doğru mu?"

"Doğru!"

"Bakın," dedi, "sözü fazla uzatmayalım. Hiçbir insan topluluğunun istemediği gibi bu ada sakinleri de anarşi içinde yaşamak istemez, değil mi?"

"İstemez!"

"Güzel! Bu durum beni düşünceye sevk etti. Mademki adamızda temel konularda düşünce ayrılıkları var, o zaman bunları gidermenin yolu adayı bir yönetime kavuşturmaktır diye düşündüm. Değerli komşumdan öğrendiğime göre –bu arada başıyla 1 Numara'yı işaret ediyordu– bu adada şimdiye kadar bir yönetim kurulu olmamış. Her şey başıboş bir biçimde sürüp gitmiş. Doğru mu?"

"Doğru!"

Bu "Doğru"lar artık içimize fenalık getirmeye başlamıştı.

Başkan, "Bu adaya bir yönetim kurulu gerekli arkadaşlar," diye devam etti. "Gerektiğinde adayla ilgili kararlar alacak, yaşamın daha huzurlu ve kimseyi rahatsız etmeyecek biçimde sürüp gitmesini sağlayacak, fikir ayrılıklarının önüne geçecek bir yönetim kurulu. Böyle bir kurulu oluşturmanın da yöntemleri var. Bu yöntem elbette demokratik olacak, demokrasi en yüce değerdir, öyle mi arkadaşlar?"

"Öyle!"

Bu arada gözüm Yazar'ın oturduğu yere takıldı. Kimse fark etmeden usulca çekip gitmişti. Ne ilginç adam diye düşündüm, Başkan'ın sözlerine karşı çıkacağı yerde çekip gitti diye biraz kınadım da onu.

"Bu topluluk genel kurul anlamına geliyor. Genel kurulun kendi içinden, yetkili kılacağı bir yönetim kurulu çıkarması gerekiyor. Bence bu kurul beş kişiden oluşmalı."

"Oluşmalı."

"Bu iş için gönüllü arkadaşlar var mı aramızda? İsimlerini yazdırsınlar, biz de oylayalım."

Başkan'ın, sürekli çevremizde dolaşan adanılarım ellerinde kâğıt kalemle, isim yazmaya hazırlandılar ama kimseden ses çıkmadı. Başkan aramızda gönüllüler olup olmadığını bir kez daha sordu. Yine ses çıkaran olmadı. Sonra 1 Numara elini kaldırıp söz istedi.

"Buyurun!" dedi Başkan, "bir şey mi söylemek istiyorsunuz?"

"Evet Başkan'ım, bence bu komitenin başkanı siz olmalısınız."

Bir-iki kişi alkışladı ama Başkan elini kaldırarak onları, "Durun!" diye susturdu. "Daha yönetim kurulu oluşmadı. Her şey usulüne uygun yapılmalı." Sonra kimseden ses çıkmadığını görünce, "Ama," dedi, "ben bunca senenin verdiği yöneticilik tecrübeme ve devlet hizmetinde geçirdiğim uzun yıllara dayanarak, bu hizmet aşkı ve tecrübeyi, adalı komşularımın hizmetine vermeye hazır olduğumu bildirmekten şeref duyarım. Vazife vazifedir, büyüğü küçüğü olmaz. Her şey adamız için!"

Bu son sözleri o kadar yüksek sesle söyledi ki hepimiz alkışlamaya başladık. Başkan son bir kez, aramızda görev alacak gönüllüler olup olmadığını sordu. Hiçbirimizden cevap çıkmadı. Çünkü yıllardır böyle bürokratik sıkıntılardan uzaktık, yeni duruma uyum göstermemiz kolay olmuyordu.

Bizden ses çıkmadığını gören Başkan, "Benim bir teklifim var," dedi. "1 Numara arkadaşımızı, ada sahibi sıfatıyla komiteye sürekli doğal üye olarak öneriyorum."

"Oooo!" diye gürledi genel kurul.

Öneriyi alkışlarla kabul ettik. 1 Numara, yerinden doğrularak, "Arkadaşlar," dedi, "bana gösterdiğiniz bu güvene çok teşekkür ederim. Cennet adamıza layık olmak için elimden geleni yapacağıma söz veriyorum. Her şey adamız için!"

Gözlerinin nemlendiğini gördük, sesinin titrediğini duyduk. Bu durum bizi de duygulandırdı. Neredeyse hepimiz birden, 'Canımız bu adaya feda olsun!' diye bağıracaktık, o kadar heyecanlanmıştık.

Başkan 1 Numara'ya döndü ve "Tebrik ederim!" dedi. Sonra, "Nazik alkışlarınızdan anladığım kadarıyla şu anda beş kişilik komitenin iki üyesi belirlenmiş bulunuyor," diye ekledi. "Şimdi kalan üç kişiyi seçeceğiz ama ben demokratik ve modern bir toplumda kadınların da erkeklerin hemen yanı başında yer alması gerektiğini düşünen biriyim. Saygıdeğer kadınlarımız, analarımız, eşlerimiz, kız kardeşlerimiz toplum hayatına karışmalı, yüksek sorumluluklar üstlenmeli. Bu nedenle komitemize bir kadın üye seçmeyi hararetle tavsiye ediyorum."

1 Numara tekrar söz aldı ve "Sayın Başkan'ım," dedi, "bu yüksek düşüncelerinizi bizimle paylaştığınız için teşekkür ederiz. Ben saygıdeğer eşiniz hanımefendiyi üçüncü üye olarak teklif ediyorum. Ne de olsa adamızdaki hanımların en deneyimlisi ve bu işlere vâkıf birisi."

Alkışladık. Başkan'ın etine dolgun, gözleri yarı kapalı gibi duran hanımı sakin bir baş selamıyla teşekkür etti, konuşma yapmadı.

Başkan ona da, "Tebrik ederim hanımefendi!" dedi. Sonra ekledi: "Başka gönüllü çıkmadığına göre kalan iki kişiyi kurayla belirleyeceğiz." Eliyle bir işaret yaptı ve disiplinli adamlarından birisi elinde siyah bir torbayla koşup geldi.

Bu arada Yazar'ın sözleriyle kuşkuya kapılmış olan aklıma şeytanca bir düşünce takıldı: Zaten beş kişilik komitenin üçü belirlendi diye düşündüm. Bu işi 1 Numara'yla birlikte tezgâhlamış olduklarından kuşkulandım. Yine de hepimiz bu işi eğlenceli bir tiyatro oyunu gibi izliyor, fazla ciddiye almıyorduk. Bizimki gibi küçücük bir adanın yönetim kurulundan ne çıkabilirdi ki. Belki de Başkan, kaybettiği devlet idaresinin yerine, boş kalmamak için bir oyun uyduruyordu. Olup bitenin hepsi bir tiyatroydu, daha fazla bir şey değil. Bu yüzden biraz fazlaca tezahürat yaparak, şakayla karışık bir biçimde oynanan vodvile katılıyor, "Bravo!" falan diyerek herkesi yüreklendiriyorduk.

Başkan, "Bu torbanın içinde birden kırka kadar bütün numaralar var!" dedi. "1 ve 24 hariç kim çıkarsa, o evden biri yönetim kurulunda yer alma görevini üstlenecek."

Sonra adamın elini torbanın içine daldırdığını ve bir kâğıt çekip çıkardığını gördük. Kâğıdı Başkan'a verdi, o da açtı ve okudu, "37 Numara!"

Alkışladık.

Sonra adam bir kâğıt daha verdi Başkan'a.

"7"

Başkan, çevresine bakındı ve 7 Numara'nın kim olduğunu anlamaya çalıştı. Ama kimseden ses çıkmıyor, herkes birbirine bakıyordu. Başımdan aşağı kaynar sular döküldü. Heyecandan sesim çıkmıyordu.

Başkan hafif sinirli bir ses tonuyla, "Kimdir efendim?" dedi. "7 Numara lütfen ayağa kalksın."

Yine kimseden ses çıkmadı, ben elimi kaldırdım. "Buyurun!" dedi Başkan.

"Efendim," dedim, "arkadaşımız biraz rahatsızlandığı için toplantıdan ayrılmak zorunda kaldı. İzin verirseniz ben ona durumu iletirim."

Yine alkışladılar. Böylece benim sevgili yazar dostum Başkan'ın komitesine girmiş oldu.

O anda içimi bir sıkıntı bastığını itiraf etmeliyim. Toplantı bittikten sonra, denize bir alev topu gibi gömülmekte olan güneşe gözlerimi dikip uzun bir süre düşündüm. Belki de bu, senin kaderine dair duyduğum uğursuz bir önsezinin eseriydi. Başına gelecekleri az çok kestirebildiğim ilk andı. Tekrar insanlar mı olaylara göre değişir, yoksa olaylar mı insana göre oluşur diye sordum kendi kendime. Beladan uzak durmak istemene, onca özen göstermene, artık adada ortalığa bile çıkmadan dağ bayır dolaşıp durmana rağmen Başkan'la aynı komitede birlikte olmak zorunda kalmıştın. Ne biçim talihti bu böyle!

Başkan'ın hayatımızdaki varlığını her geçen gün biraz daha hissetmemize karşın, biz olayları görmemeyi, her zamanki saf tavrımızla gelişmeleri iyiye yormayı sürdürüyorduk. Belki de söyledikleri doğruydu, o adada kentlerden, uygarlıktan uzakta yaşayarak yabani insanlar haline gelmiştik. Şimdi geriye doğru baktığım zaman, bu tavrımızın aşırı bir tembellikten, uyuşukluktan kaynaklandığını açıkça görebiliyorum. Hiçbir şeyi protesto etmiyorduk, karşı çıkmıyorduk. "Bana dokunmayan yılan bin yıl yaşasın!" diyor ama yılanın bize de dokunacağını hesap edemiyorduk.

Bu kayıtsız tavrımızı, evlere servis yapan zavallı çocuğun başına gelenlerden sonra da sürdürdük. Oysa hepimiz bu okul yüzü görmemiş, durgun zekâlı, dilsiz, çalışmadığı zamanlarda ufka bakıp hayallere dalıp giden bu genç çocuğu seviyorduk. Elimizde büyümüştü, evimizin bir parçası gibiydi. Bakkalın vapurla getirtip, motorla kıyıya taşıdığı ve depoladığı süt, ekmek, peynir vs. gibi gerekli şeyleri evlere dağıtırdı. Sabahları uyandığımızda, bir gün önceden sipariş ettiğimiz her şeyi evin kapısında bulurduk.

Bu iş, bir gün anayolda çocuğun ağlayarak ve eliyle gözünü tutarak yürüdüğünü görene kadar sürüp gitti. Gözü yumruk yemiş gibi kızarmıştı, ertesi gün de moraracak ve kapanacaktı. Konuşamadığı için ne olduğunu anlatmasına imkân yoktu. Her zaman yaptığı gibi bir köşeye çekilip yalnız kalmayı tercih etti. Bu işin Başkan'la ya da adamlarıyla bir ilişkisi olduğunu sezebilecek kadar zekiydik ama kimimiz kondurmuyor, kimimiz de düşünmeye bile korkuyorduk.

Olay bir sonraki bildiriye kadar sır olarak kaldı. Evlerimize –hem de çocuğun babası olan bakkal tarafından– dağıtılan bildiri çok açıktı. Bakkalın oğlunun, dünyada bilinen bütün güvenlik ve özel hayatın mahremiyeti ilkelerine aykırı olarak geçen sabahın erken saatlerinde Başkan'ın terasına kadar sokulma cüretini göstermiş olduğu ve bu nedenle cezalandırıldığı anlatılıyordu.

Bu işe başkanlık komitesi tarafından yeni kurallar getirilmişti:

1. Hiç kimse evlere habersiz olarak, güvenlik ve bahçe sınırı sayılan 6 metreden daha fazla sokulmayacaktır.

2. Gerekli malzemeyi dağıtmakla görevli servis elemanları bu işi her sabah 9 ile 11 arasında ve belirtilen sınırı aşmamak koşuluyla yerine getireceklerdir.

3. Ada komitesi tarafından konulan bu kuralları ihlal eden herkes, ev sahipleri tarafından ağır bir biçimde cezalandırılabilecektir.

Daha sonra babası bize üzüntü içinde ve gözleri dolarak olaya tanık olan adalı birinin aktardığına dayanarak şunları anlattı: Çocuk, o sabah Başkan'ın evine, bir gün önceden sipariş edilen süt ve gofretleri götürmüş. Herhalde adadaki yeni hiyerarşiyi sezdiği için, dağıtıma ilk olarak Başkan'ın evinden başlamış. Erken bir saatte gitmiş oraya ama tam sütü teras kapısına bırakırken birdenbire bahçeden fırlayan bir kişi gözünün üstüne yumruğu patlattığı gibi onu yere yıkmış ve evdekileri uyandırmamaya gayret ederek, öfkeli bir fısıltıyla kim olduğunu, orada ne aradığını sormuş. Sonra da serbest bırakmış.

Bütün bunlar, Başkan'ın müthiş bir korku içinde yaşadığını, bizim gözlerden uzak huzurlu adamızda bile evinin bahçesinde bir nöbetçi bulundurduğunu gösteriyordu. Biz bu işe şaşıp kalıyorduk. İskeleye bağlı motor hâlâ buradaydı, adamların daha ne kadar kalacaklarını da bilmiyorduk.

Artık başkanlık komitesi üyesi olan Yazar'a bu bildiriden haberi olup olmadığını sorduğumda elini sinek kovar gibi sallayarak, "Yok yahu!" dedi. "Yüzünü şeytan görsün. Ben toplantıya falan gitmedim henüz. Gidersem de ne yaparım bilemiyorum."

Kimse birbirine itiraf etmese de adadaki gerginlik her geçen gün biraz daha elle tutulur bir hal alıyor ve özellikle tepesi tıraş edilince, ırzına geçilen bir bakire gibi güneşin altına sere serpe uzanıveren yol, hepimizde müthiş bir huzursuzluk duygusu uyandırıyordu.

Bir gece vakti bu tedirginlik doruğa çıktı. Silah sesleriyle uyanmış ve neye uğradığımızı şaşırarak don paça evlerimizden fırlamıştık. Ada tarihinde hiç rastlanmadık bir panik yaşıyorduk. Geceleri sakin olan martılar bile çığlık çığlığa uçuyordu.

Bazıları üç el silah sesinin Başkan'ın evinden geldiğini söylediği için merak ve endişe içinde o tarafa doğru koştuk. Hiç ihtimal vermiyorduk ama acaba Başkan terörist korkusunda haklı mıydı, adamıza bir baskın mı yapılmıştı?

Başkan'ın bahçesine ulaştığımda, evleri daha yakın olanların kadınlı erkekli bahçede toplanmış olduğunu gördüm. Başkan, "Terasta bir terörist yürüyordu," diye açıklıyordu durumu. Onu sağ salim görmek içimizi bir parça ferahlattı ama kafamızdaki soru işaretlerini gidermeye de yetmedi. Bu uzak adaya terörist nasıl gelir, nerede saklanabilirdi.

Başkan'ın adamları ellerinde –artık saklamaya gerek görmedikleri– silahlarıyla hepimizi düşman gibi süzüyordu. Bu bakışlar altında ister istemez kızarıp bozarıyor, kendimizi suçlu gibi hissediyorduk. Saçı başı dağılmış yarı çıplak komşularım dehşet içinde olup biteni kavramaya çalışıyordu. Yazar bile oradaydı.

Başkan, büyük tehlike atlatmış ama halkını yatıştırmak isteyen bir kahraman edasıyla, "Üzülmeyin dostlarım," dedi. "Bu ciddi bir durum ama gördüğünüz gibi çok şükür terörist ya da teröristler bize bir zarar veremedi. Daha önce birçok kez beni ortadan kaldırmayı denediler ama ulu Tanrı'nın yardımıyla her seferinde başarısızlığa uğradılar. Ben artık bu duruma alıştım, memlekete hizmet etmiş olmanın bir bedeli gibi görüyorum ama itiraf etmeliyim ki ailem ve özellikle de sevgili torunlarım üzerinde çok kötü etkiler bırakıyor bu olaylar. Şimdi üzülerek de olsa bildirmek zorundayım ki adadaki her yer, her ağaç dibi, her kovuk, her mağara ve –maalesef– her ev tek tek aranacak. Güvenlik elemanlarımız bu hainleri saklandıkları yerden bulup çıkarmak ve sorgulamak, çatışmaya girerlerse imha etmekle görevlendirildi. Masum komşularıma vereceğimiz rahatsızlıktan dolayı özür dilerim ama eğer içlerinde bu olaylara karışmış olanlar varsa onlar da herkesin göreceği gibi bunun bedelini en ağır biçimde ödeyeceklerdir."

Şaşırmış, paniğe kapılmış ve sersemlemiş durumdaki bizler konuşmayı dinliyor, olup bitene hâlâ inanamıyorduk. Bu durumda evlerimizin aranacağı da bir gerçekti. Şaşkınlıkla birbirimizin yüzüne bakıyor, ne diyeceğimizi, nasıl bir tavır takınacağımızı kestiremiyorduk. Başkan'ın torunları anneannelerine sarılmış durumda, hepimizi kuşkuyla süzüyordu.

Bu sırada bir ses duyuldu: "Bu olayın nasıl olduğunu biraz anlatabilir misiniz efendim? Size ateş mi edildi? Birini ya da birilerini mi gördünüz?"

Hepimizin gözü Yazar'a çevrildi. Başkan'la ilk kez konuşuyordu, belki de adada ona soru soran ilk ve tek kişiydi.

"Anlatayım!" dedi Başkan. "Vakit gece yarısını biraz geçiyordu! Yeni yatmıştım. Tam uykuya dalmak üzereydim ki terasta epey iriyarı olduğunu tahmin ettiğim birinin yürümekte olduğunu duydum. Bu saatte terasıma gelen kişinin iyi niyetli olmadığı belliydi. Demek nöbetçiyi de atlattılar diye düşündüm ve silahımı alarak terasa doğru seslendim, kim olduğunu sordum. Ama adam bana hiç cevap vermeden terasta dolaşmayı sürdürdü. 'Kimsin, burada ne arıyorsun?' diye birkaç kez daha sordum, cevap vermedi. 'Son kez soruyorum, sonra ateş edeceğim,' diye uyardığım halde sözlerime hiç aldırış etmeden pat pat gürültü çıkararak yürümeyi sürdürdü. Sütunun arkasına siper alarak sadece kolumu dışarı çıkardım ve rasgele üç el ateş ettim. Bunun üzerine ses kesildi. Tahmin ediyorum ki o sırada kaçıp gitti. Zaten terası araştıran güvenlik görevlimiz de orada hiç kimseyi bulamadı. Bu yüzden adayı araştırıp bu teröristi bulmamız gerekiyor."

Yazar, "Efendim," dedi, "size geçmiş olsun ama durumu anlayabilmemiz için bir-iki soru daha sormama izin verir misiniz?"

Başkan, kendi sağlığıyla bu kadar ilgilenen bir komşunun bulunmasından hoşnut kalmış olmalı ki, "Sizi galiba daha önce görmedim beyefendi!" dedi.

"Evet efendim," dedi Yazar. "Fotoğraf çekiminde ve çardak altındaki toplantının ilk bölümünde vardım ama galiba gözünüze çarpmak şerefine nail olamadım. Bazı çalışmalarım dolayısıyla toplantıdan ayrıldığım sırada da başkanlık komitesine seçildiğimi öğrendim."

"Haaa," dedi Başkan, "şimdi oldu. Demek ki sizinle bundan sonra sık sık görüşeceğiz."

Yazar'ın sözlerinin altındaki gizli alayı anlamadığını ve adada sıkı bir müttefik daha bulmuş olmanın onu memnun ettiğini düşündüm.

Yazar, "Efendim," dedi, "denizi aşıp da bu adaya bir motor yaklaşacak olsa hemen görülür, ayrıca sesi de duyulur. Adaya gizlice girmek olanaksızdır. Bu yüzden başka olasılıklar üzerinde de durulmalı diyorum ben."

"Ne gibi olasılıklar?"

"Mesela terasta yürüyen, bir terörist olmayabilir."

"Kötü niyet taşımayan kim o saatte evin terasında yürür sizce?"

"Bilemiyorum ama anlattıklarınıza göre bu terörist epey gürültü meraklısı. Sizi uyandıracak kadar gürültülü bir biçimde yürüyor ve uyarılarınıza rağmen de bu tavrını sürdürüyor. Bir köşeye sinmiyor, ateş edeceğinizi söylüyorsunuz, o yine pat pat yürüyor. Bu sizce normal mi?"

Başkan'ın, önce dost sandığı bu ukala adamın soruları karşısında hafifçe sinirlenmeye başladığı seziliyordu. "Peki bay detektif," dedi, "bu teorileriniz güzel ama durumu değiştirmiyor. Sorumu tekrarlıyorum: Hangi insan kötü niyet taşımadan terasımda gece yarısı yürür ve sorularıma cevap vermez? Hem sonra kimliğini niçin açıklamadı sizce?"

"Sayın Başkan, belki de konuşma bilmiyordu."

Önce afallayan Başkan ilk şaşkınlığını üzerinden atar atmaz bizlere, "Arkadaşlar," dedi, "adamızda konuşamayan biri mi var?"

Daha önce defalarca terasında martı dolaşmış olan bizler, konuşmanın nereye gittiğini yavaş yavaş anlamaya başladık ama Başkan'ın sorularına otomatikleşmiş bir şekilde cevap vermeye, sözlerimize yorum katmamaya alışıyorduk. "Hayır, yok!" dedik. Bakkalın oğlu konuşamıyordu ama onun böyle bir şey yapması mümkün değildi.

Başkan, "Gördünüz mü?" dedi. "Şimdi saçma sapan soru-
larla daha fazla uğraşmayı bırakalım da güvenlik görevlileri
gerekli incelemelere başlasınlar."

Konuşma bitti sanıyorduk ama hiç beklemediğimiz bir
anda Yazar'ın sesi tekrar duyuldu:

"Çok özür dilerim efendim, belki terasınızdaki sesler hiç
de tehdit anlamı taşımıyordu."

Biraz önce büyük bir korkuya kapılmış olan Başkan iyi-
ce sinirlendi ve "Beyefendi, beyefendi!" dedi. "Sizin amacınız
ne? Böyle bir ciddi güvenlik soruşturmasını hangi çıkmaz so-
kağa saptırmak niyetindesiniz? Bana cevap verin. Hangi in-
san kötü niyet taşımadan gecenin bir vakti bu terasta dolaşır?
Hangi insan ateş edeceğim uyarılarına cevap vermez?" Durdu
bize baktı ve sinirli sinirli güldü: "Baksanıza adada konuşma
bilmeyen kimse de yokmuş."

"Terasınızda dolaşan belki de bir insan değildi!" dedi
Yazar. "Bu yüzden sorularınıza cevap veremiyordu."

Gecenin karanlığında bile tüm komşularımın yüzüne bir
gülümseme yayıldığını görebiliyordum. Başkan, "Sen ne di-
yorsun be adam!" diye kükredi. "İnsan değilse neydi o za-
man, adanızda büyük ayılar yaşıyor da ben mi bilmiyorum
yoksa? Belki de dinozordur ha?"

"Hayır efendim" dedi Yazar sakin bir sesle, "bir martı-
dır!"

"Ne martısı?"

"Bildiğiniz martı efendim. Bu adada yaşayan herkes mar-
tıların geceleri teraslarda yürüdüğünü ve çıkardığı seslerin
iriyarı bir adamın yürüyüşünü andırdığını çok iyi bilir. İlk
başta bilmeyenler için çok şaşırtıcıdır doğrusu. İnsan o sesin
bu küçük yaratıktan nasıl çıktığını anlayamaz ama belki de
ayak yapıları gereği, gecenin sessizliğinde iriyarı bir adam gi-
bi yürürler. Değil mi?"

Bizlere bakıyordu. "Evet!" dedik. "Gerçekten öyledir."

Yazar, "İzin verirseniz terasta bir deneme yapalım sayın Başkan," dedi. "Şu anda üstünde durduğunuz girişte de olabilir."

Sonra Başkan'ın şaşkın bakışları arasında terasta pat pat diye sesler çıkararak yürümeye başladı.

"Sesler buna benziyor muydu sayın Başkan?"

Başkan, ordusunun bozulmaya başladığını gören bir komutanın ruh haline girmiş olmalıydı ama yine de adalıların gözünde martıdan korkan adam durumuna düşmemek için son bir gayretle, "Çok saçma!" diye söylendi. "Martı ile insanı birbirinden ayıramayacak adam mıyım ben?"

Ama artık sesi çok zayıf çıkıyordu, kendisine duyduğu güven sarsılmıştı.

Hepimizin Yazar'a hak verdiğini ve başımızı sallayarak onu onayladığımızı görüyordu. Adada en güvendiği müttefiki olan 1 Numara bile, "Evet efendim. Martılar aynen böyle ses çıkarır!" deyince pes etme noktasına hızla yaklaştı ama Yazar daha son darbesini indirmemişti.

Onun şahin bakışlı güvenlik görevlisine dönüp, "Sayın Başkan ateş ettikten sonra havalanan bir martı gördünüz mü?" diye sorması ve afallayan adamın, "Evet!" cevabını vermesiyle, bahçede toplanmış olan bizler terör tehdidinden kurtulmanın rahatlığıyla bir kahkaha patlattık.

Bu durumda Başkan'ın yapacağı hiçbir şey kalmamıştı artık. İster istemez durumu kabullendi, yüzünde zoraki bir gülümseme belirdi. Biraz önce ülkesine yaptığı hizmetlerden dolayı canına kastedilen bir kahraman rolüne bürünen kudretli Başkan, martıdan korkan ve durup dururken ateş açan bir adam durumuna düşmüştü.

Bir görevli, "Evleri arayacak mıyız efendim?" diye sorma gafletinde bulundu. Kapıya doğru yürümeye başlayan

Başkan, hınç dolu bir sesle bağırmayı ihmal etmedi: "Def ol git yerine!"

Bu geceden itibaren adada iki büyük düşmanı vardı Başkan'ın: Daha önce sevgili torununu korkutup kolunu incitmesine yol açtıkları yetmiyormuş gibi şimdi de onu gülünç duruma düşürüp yeni komşularının önünde rezil eden martılar ve sorularıyla durumu açıklığa kavuşturan o küstah adam, yani Yazar!

Savaşın başlamasına az kalmıştı.

O gece adada kimsenin uyabildiğini sanmıyorum. Onca heyecanlı olaydan sonra evlerde ışıkların sabaha kadar yanması da bundandı, şaşırmadık. Biz de Lara'yla eve döndüğümüz zaman, manolya ağacının altındaki iki kişilik salıncak koltuğumuza oturup birbirimize sarıldık, uzun bir süre öyle, kıpırdamadan durduk. İçimizdeki tuhaf tedirginlik ve kötü şeyler olacağına dair önsezi, neredeyse elle tutulur bir hal aldığı için, nefes almaya bile korkarak birbirimizin sıcaklığından medet umuyorduk. Hafif gece rüzgârının havalandırdığı ince kumral saçlarından her zaman olduğu gibi mis gibi sabun kokusu geliyordu.

Onu, yıllar önce başkentte bir kafeteryada garson olarak çalışırken keşfetmiştim. Öylesine kırılgan, öylesine yaralı ve yuvadan atılmış bir yavru kuş gibi duruyordu ki, yüreğimdeki olanca şefkat ona doğru akmaya başlamıştı.

Durmadan tezgâhın arkasındaki mutfağa girip çıkan, elindeki tabakları mutsuz ama kibar bir gülümsemeyle masalara bırakan, bahşiş veren müşterilere küçük kız çocukları gibi hafifçe reverans yaparak teşekkür eden bu garson kızda, beni kendisine meftun eden bir zarafet ve yumuşaklık seziyordum.

O güne kadar içimde bu kadar sevecenlik olduğunu bilmezdim. Bu duygularım gözlerimden o kadar belli olmuştu ki, kafeteryanın hangi köşesine gitse dönüp beni süzmeye başlamıştı. Kendisine bakıp bakmadığımı öğrenmek ister gibi beni kolluyordu. Ertesi gün o kafeteryaya bir kez daha gittim, öteki gün bir daha, sonra bir daha, bir daha.

Artık birbirimize "Merhaba!" diyor, gülümsüyor, bir-iki cümle ediyorduk. Günden güne kendisine biraz daha özen gösterdiği, kumral saçlarını daha dikkatli taradığı, daha göz alıcı elbiseler giydiği sanısına kapılıyor ve bundan kendime gurur payı çıkarıyordum. O sırada karımdan yeni ayrılmıştım, boşluktaydım. Çocuğu olmayan, boşanmış, işi iyi gitmeyen, çalıştığı bankada sevilmediğini düşünen, aldığı küçük maaşla kıtı kıtına geçinen, ülkedeki politik çatışmalardan uzak kalmaya çalışan ama hayattan zevk de almayan silik ve korkak bir adam olarak yaşayıp gidiyordum.

Bu renksiz, sıradan ve çekingen hayatımın en büyük eylemi, izinli olduğu bir akşam o garson kıza yemeğe çıkmayı önermem oldu. Hiç nazlanmadan kabul etmiş olması da bu işin beklenmedik ödülüydü. Belki de çekingen yapım yüzünden bu kadar uzun süre beklemiş olmam, onda böyle bir önerinin hiç gelmeyeceği gibi bir korku yaratmıştı. Bu yüzden hemen "Evet" demiş olabilirdi.

Buluştuğumuz ilk akşam, kendisine çok yakışan turuncu bir giysi vardı üzerinde. Yanakları al aldı. "Çok geç kalamam," deyişindeki tedirginlikten bir şeyler sezinlemiştim ama daha o ilk akşam onun hakkında öğrendiklerim, çok mutsuz bir evliliğin pençesinde kıvrandığını anlamama yetti. Korku içindeydi. Daha sonra bir gün kafeteryada onu gördüğümde, yanağını saçıyla kapatmaya çalışmasından anlayacağım gibi kocasından dayak yiyordu. İlişkimiz sürüp gitti, birbirimize açıldık.

Kocası karışık işler yapan, arada bir hapse girip çıkan kaba biriymiş. Eve sarhoş geldiği akşamların çoğunda onu dövüyormuş. Bunları bana gözyaşları içinde anlattığı gece, bekâr evimdeki divanın üstünde birbirimize sarıldık. İçimde müthiş bir sızıyla onu öptüm ve sanki birbirimizin yaralarını iyileştirmek istiyormuş gibi ağır, şefkatli, kanayan yerlerimize merhem süren derin bir sevişmeye sürüklendik.

O geceden sonra kızı bu hayattan ve o adamdan kurtarmaktan başka bir şey düşünmez oldum. Bir kez daha dayak yemesi fikrine katlanamıyordum. Yakınmayan, kaderine razı olmuş kibar hali giderek daha çok içimi paralıyordu.

Bu konuları çok tartıştık. Boşanmasını söyledim ama o, kocasının böyle bir şeyi asla kabul etmeyeceği ve kemiklerini kıracağı cevabını verdi. Kaçmaktan başka hiçbir çare yoktu. Ama nereye? O günlerde kafamı patlatarak bin bir plan kurdum. Çalıştığım bankayı soymayı, oradan alacağım parayla bir kiralık katil tutup kocasını öldürtmeyi bile düşündüm. Ama bu planları yapıp hayaller kurduğum sırada bile bunların hiçbirini yapamayacağımı biliyordum. Hayaller sadece avunmak, çaresizlik duygumu kısa bir süreliğine dindirmek içindi.

Sonra birden, ihtiyar amcamın ölmeden önce sözünü ettiği ada ve orada babamın almış olduğu ev aklıma geldi. Ailemdeki hiç kimse, bir değer oluşturduğunu sanmadığı için bu evle ilgilenmemiş, bir masal gibi anlatılan evin bir işe yarayacağını düşünmemişti. Öyle ya, kimsenin gidip gelemediği, uygarlıkla ilgisi olmayan adadaki köhne bir ev ne işe yarayabilirdi ki.

İşte bu unutulmuş ev bizim kurtarıcımız oldu. Lara'yla birlikte bu dünyadan izimizi sildik, ortadan yok olduk ve adamızda yeniden doğduk. Oraya ayak bastığımız günlerde, eski hayatımızı bir daha hiç geri dönmemecesine geride bıraktığımızı kanıtlamak istedim ve sevgilime artık 'Lara' demeye karar verdim. Adanın en güzel koyunun adıydı bu. Berrak, saydam, temiz, turkuvaz rengi suların dipteki kumları bir masal dünyası gibi aydınlattığı küçük bir koydu. Aynen benim sevgilim gibi. Eski adını bir daha hiç kullanmayacaktık. Yeni adı bir çeşit uğur, taze bir başlangıçtı.

Ada, yakamozları, serin ay ışığı ve yasemin kokularıyla bizi iyileştirdi, yeni bir hayata kavuşturdu, geçmişimizi unutturdu.

Ama o gece bahçede, salıncaklı koltuğun üzerinde, ikimiz de adaya geldiğimizden beri ilk kez kapıldığımız bir tedirginlik içindeydik.

Lara, "Demek ki o kötü dünya bizden o kadar da uzak değilmiş!" diye fısıldıyordu. Onu uzun uzun öperek sakinleştirmek istedim, kötü anıların geri gelmesini önlemek için de, birbirini tedavi eden gövdelerimizin küçük tapınağı olan yatağımıza götürdüm.

Yazar'ı tedavi edebilecek ya da onun şefkatini sunabileceği bir kişi yoktu. Ertesi sabah aradığımda onu bulamadım. Başkan'ın sabah erkenden ada komitesini acil olarak toplantıya çağırdığı söyleniyordu. Gerçekten de komiteye seçilmiş olan kişiler ortalıkta yoktu. Ada halkı huzursuz bir biçimde bekliyor, arada bir toplantının yapıldığı Başkan'ın evine doğru tedirgin bakışlar fırlatıyordu. Bu acil toplantıdan ne biçim yeni kararlar çıkacaktı kimbilir. Artık kimsenin içi eskisi gibi rahat değildi. Kıyılarda, gecenin karanlığına sığınmış bahçelerde, akşamüstü gezintilerinde fısıl fısıl bu konular tartışılıyordu.

Yemyeşil ağaçları ve gölgeli yolları ellerinden alınan, yakıcı güneşin altında terleyerek yürümek zorunda bırakılan adalıların büyük bölümü, Başkan'a doğrudan doğruya karşı çıkamasa bile gelişmelerden tedirginlik duyduğunu saklamıyordu. Artık iyiden iyiye Başkan'ın adamı olan 1 Numara'nın bazı arkadaşları ise adamıza düzen ve disiplin gelmesinin iyi bir şey olduğunu savunuyordu. Bu iki kesimin dışında kalan bir-iki kişi de adaya biraz heyecan gelmiş olmasından hoşnut kaldıklarını saklamıyordu. Ne de olsa herkese eğlence çıkmıştı.

Ben o gün adanın martıları kadar tedirgindim diyebilirim. Çünkü onlar da kendilerine ayrılan kıyılarında, kayalıkların orada gergin bir bekleyiş içindeydi. Her yumurtanın başında ana baba bekliyor ve dikkatli gözlerini ufuktan bir saniye ayırmadan kale nöbetçilerine benzer bir görünüm oluşturuyordu. Bizden hiçbir dostluk ve yakınlık talepleri olmadığı için onları kendi dünyalarında rahat bırakmaktan başka yapabileceğimiz bir şey yoktu.

Öğleden sonra toplantı sona erdi ve hepimiz, akşamüstü çardak altında yapılacak genel kurul toplantısına çağrıldık. Ben hemen Yazar'a koştum. Onu öfke içinde bulacağım tahminimde yanılmamıştım. Evde sepetleri, sehpaları tekmeliyor, küfredip duruyordu. Birer bira açıp üzüm salkımlarının altına oturduğumuzda bile Başkan'a sövüp saymayı bırakmamıştı: "Kafayı yemiş bu adam!" diyordu. "Kesinlikle kafayı yemiş. Çatlağın teki! Eğer herkes bu manyağa uyarsa sonumuz geldi demektir. O geldiğinden beri yaşam alanımız gittikçe daralıyor. Göreceksin, sonunda bu adadan çekip gitmek zorunda kalacağız."

Bir süre uğraştıktan sonra neler olup bittiğini anlatacak noktaya getirebildim onu. Söylediğine göre Başkan toplantı açılır açılmaz hemen konuya girmiş, bu adadaki en büyük tehdidin martılar olduğunu söylemiş. Adanın en güzel kıyılarını kapladıkları ve buralarda insanların denize girmesini önledikleri yetmiyormuş gibi bu vahşi kuşlar insanlara saldırıyor, adayı yaşanmaz bir cehenneme çeviriyormuş. Bu yüzden Başkan komiteye, bu kuşların yok edilmesini önermiş. Uzun uzun kuşların zararını sayıp dökmüş. Zaten komitenin çoğunluğu Başkan'a yakın olduğu için martıları imha etme kararı almak üzereymiş ki Yazar dayamayıp söz almış ve bu önemli konunun komitede karara bağlanamayacağını, alınacak kararın bütün ada sakinlerini ilgilendirdiğini, bu yüzden genel kurulda tartışılması gerektiğini bildirmiş. Ada halkının komiteden daha sağlıklı düşünebileceği umudunu taşıdığı için bu konu üzerinde çok ısrar etmiş.

Ondan zaten nefret eden Başkan'ın acele bir karar almak istemesine karşı müthiş bir direnç göstermiş Yazar. Bunun bir çeşit savaş kararı olduğunu, eğer adayı bir ülke gibi düşünürsek savaş kararlarını meclislerin alması gerektiği falan gibi kendisinin bile saçma sapan bulduğu bir sürü şey söylemiş. Başkan'ın torununun kapıldığı gereksiz panik yüzünden kolunu incitmesi ve koskoca adamın martıdan korkarak ateş etmesi gibi konulara hiç değinmemiş. Sonunda komiteyi bu işe razı edebilmiş. Çünkü Başkan, eğer herkesin katılımı sağlanırsa, martılara karşı mücadelenin daha içten ve daha etkili yürütebileceği kararına varmış.

"Bu zırdelinin martılara savaş açması gibi bir çılgınlık herhalde kabul edilmez!" diyordu ve hemen arkasından aynı anlama gelecek sözleri tekrar edip durmasından anlaşılıyordu ki içi çok da rahat değil.

"Toplantıda sen de kalk bir şeyler söyle!" dedi Yazar. "Bu adamın adalıları kandırmasına engel olmaya çalış. Hatta şimdiden insanlarla tek tek konuşup bu deliliği önlemeye gayret et."

Zayıf bir sesle, "Olur!" dedim. Adalılara bir şeyler söyleyebilirdim ama toplantıda kalkıp konuşmak benim çekingen doğama pek uygun bir iş değildi. Bu alanda kendime güvenmiyordum.

Ondan ayrıldıktan sonra biraz yürüdüm, sonra ıssız bir kayanın üzerine oturup uzun uzun martıları seyrettim. Yumurtalarının başında bekleyen martılara baktım. Sivri bir kayanın tepesinde durmayı âdet edinmiş ve avlanma dışında o yüksek noktayı hiç terk etmeyen inatçı martıyı yine aynı yerde gördüm. Şu anda kendileri hakkında yapılan tartışmalardan hiçbir haberi olmayan bu yaratıklar gözüme insanlardan daha masum göründü.

Kanatlarını kapadıkları zaman daha griydiler, çünkü sırtları bu renkti. Ama havada süzülürken gövdelerinin iç kısmı göründüğü için bembeyazdılar. Bu çılgın adam nasıl bir mücadele düşünüyordu acaba bunlara karşı? Artık Başkan'ı benim de "çılgın" sıfatıyla düşündüğümü fark ettim. Bir-iki hafta içinde bizi bu noktaya getirmeyi başarmıştı.

Orada bir saate yakın oturmuşum. Sonra kalkıp adalı arkadaşlarımı dolaşmaya başladım. Kimi bahçeyle uğraşıyor, kimi hamakta kestiriyor, kimi bakkaldan dönüyordu. Onlara Başkan'ın saçma bir işe kalkışmak üzere olduğunu, martılara karşı mücadele açmaya karar verdiğini anlattım. Bu işe engel olmamız gerektiğini söyledim.

Hepsi zaten benim gibi düşünüyordu. "Olur mu böyle delice şey!" dediler. "Ne zararı varmış martıların? Kendisi korktuysa, bunda martının ne suçu var?"

Hatta 12 numaradaki arkadaşımız, "Savaş oyunları oynamak istiyorsa gitsin kendisine başka bir ada bulsun!" bile dedi.

Bu konuşmalardan sonra içim biraz rahatlamış olarak eve döndüm, Lara'ya olup bitenleri anlattım. "Adalıların aklı başında, bu işe izin vermeyecekler!" dedim.

Yüzüme endişeyle baktı. Zaten hep bir felaket olmasını bekleyen tedirgin yapısı, Başkan'ın bu son günlerde yaptıklarıyla iyice sarsılmıştı.

"Umarım öyle olur!" dedi, kuşkulu bir sesle. Sonra devam etti:

"Hayattan öğrendiğim bir şey var. Her yerde kötülük çok kuvvetli ve zor yeniliyor. İyilik daha zayıf kalıyor."

"Kaygılanma," dedim, "var gücümüzle mücadele edeceğiz. Bu adada kötülük egemen olamayacak."

Bana bakan ela gözlerinde, dediklerime inandığına dair bir işaret göremedim. Bunun üzerine biraz daha ısrar etme gereğini duydum, çünkü onu üzüntülü görmeye hiç katlanamıyordum. Kumral saçlarını okşayarak, "Sevgilim" dedim, "belki de haklısın; belki değil, yüzde yüz haklısın. Dünyada kötülük daha örgütlü ve daha planlı. İyiliğin içinde zaten bir saflık var. Bu yüzden dünyanın her yerinde kötülük saflığı yeniyor. Ama bu adada durumu tersine çevirdik biz. Baksana bunca yıldır aramızda ne rekabet var, ne kavga, ne çekişme, Burası huzuru seçen iyi insanların ülkesi. Göreceksin, komşularımız bu tehlikeli önerileri reddedecek. Başkan da bu adada sıkılacak, istenmediğini fark edecek, yakın bir zamanda çekip gidecek buralardan."

"Ya bizi gitmek zorunda bırakırsa?"

"Böyle bir şey olmayacak! Sonsuza kadar bu adada seninle birlikte kalacağız. Öldükten sonra bile ayrılmayacağız."

Bu sözlerimin onu biraz yatıştırmasını beklerken, birdenbire beni çok şaşırtan bir şey yaptı. Önce beni dudaklarımdan hafifçe öptü, sonra ağlamaya başladı. Dudaklarının sıcaklığı kadar, gözyaşının bir yaz yağmuru gibi boşanıvermesi de şaşırtmıştı beni.

Akşamüstü, bakkalın bahçesinde, birleştirilmiş masaların çevresine dizildik. Başkan'ın sağında 1 Numara, solunda eşi oturuyordu. Diğer komite üyeleri –bu arada suratı iyice asılmış olan Yazar da– masanın başında yerlerini almışlardı. 1 Numara'nın giysisinin iyice Başkan'ınkine benzediğini fark ettim. Bunca yıldır yalınayak başıkabak dolaşan adam, artık ütülü beyaz pantolonlar ve tiril tiril gömlekler giymeye başlamıştı. Üstelik bunu yapan tek komşumuz da o değildi. Birkaç kişi daha böyle dolaşmaya başlamıştı.

Toplantıyı Başkan'ın açacağını sanıyordum ama önce 1 Numara kalktı ayağa.

"Sevgili arkadaşlar," dedi, "bildiğiniz gibi bugün burada, güzel adamımızın geleceğini ilgilendiren çok önemli bir konuyu tartışmak üzere toplanmış bulunuyoruz. Saygıdeğer Başkan'ımız adamıza, uzun yıllara dayanan devlet yönetiminin kazandırdığı tecrübe ve fikirlerle geldi. Bugüne kadar hiçbirimizin fark etmediği bazı aksaklıkları ve bunlardan çıkış yollarını gösterdi. Bu yüzden ben şahsen kendisine bir kez daha derin minnettarlığımı sunuyor ve Başkan'ımızı alkışlıyorum."

1 Numara ayakta Başkan'ı alkışlamaya başlayınca, diğer komşular da ayağa kalktı ve alkışa katıldı. Ben de ortama uyum göstermek için kalktım. Yalnız iki kişi kalmıştı oturan; iki yakınım, iki canım, iki dostum. Biri hemen anlaşılabileceği gibi Yazar, öteki de biraz daha zor anlaşılabileceği gibi benim çekingen sevgilim Lara.

Başkan'ın çevrede bekleyen adamlarının bu ayrıntıyı fark edip etmediği merak ettim ama asık suratlarından ve siyah camların arkasına saklanmış gözlerinden hiçbir şey anlamak mümkün değildi.

1 Numara, alkışlardan sonra gülümseyerek Başkan'a çevirmiş olduğu yüzünü tekrar bize doğru döndürdü, "Bu nazik alkışlarınızla sizin de Başkan'ımıza derin minnettarlığınızı sunmuş olduğunuzu anlıyor ve toplantıyı açıyorum. Bugün hepinize bildirilmiş olduğu gibi adamızdaki plajlar konusunu görüşeceğiz."

Bu sözler üzerine hepimiz şaşırdık. Martılardan söz etmek yerine kıyıları konuşmak nasıl bir oyundu, neler çeviriyorlardı böyle?

1 Numara, "Yalnız," dedi, "toplantıyı kurallarına göre yönetmek için bu konuda lehte ve aleyhte konuşacak ikişer kişinin şimdiden adlarını yazdırmaları gerekiyor. Öyle ya sonsuza kadar bu çardak altında kalamayız değil mi? Söyleyin arkadaşlar, kimler bu konuda konuşmak istiyor? Unutmayın iki lehte, iki aleyhte söz vereceğim!"

Sabah konuşmuş olduğum 32 Numara ayağa kalktı ve "İyi ama," dedi, "daha konuyu tartışmadan, lehte ve aleyhte konuşmak istediğimizi nasıl bilebiliriz ki!"

Bu söz üzerine, bize artık iyiden iyiye yabancı biri gibi görünmeye başlayan kırk yıllık arkadaşımız 1 Numara gülümsedi ve "Kural böyle arkadaşlar," dedi. "Herkes konuşmak zorunda değil!"

Bunun üzerine Yazar elini kaldırdı: "Ben konuşmacı olmak istiyorum," dedi. Başkan ve komite üyeleri onu küçümseyen bakışlarla süzdüler. Lara elimi sıkıyor, beni de konuşmacı olma konusunda yüreklendiriyordu. Yazar da gözlerini yüzüme dikmiş bakıyordu ama ben bunca kişinin önünde kalkıp da ne söyleyebilirdim ki. Anlamazlıktan gelip kıpırdamadım bile. Benim yerime 32 Numara konuşmacı oldu. Lehte konuşacak olanlar ise başkanlık komitesinin iki üyesiydi.

Bütün bunlardan sonra söz Başkan'a geldi. Başkan ayağa kalktı, hepimizi süzdü ve "Medeniyet!…" dedi, sonra susarak yüzümüze bakmayı sürdürdü. Ağır bir sessizlik kaplamıştı ortalığı. Hiç kimse ses çıkarmıyor, bir önceki toplantıda zılgıtı yemiş olan bakkal da ortalıklarda görünmüyordu. Çünkü o, ev sahibi olmadığı için genel kurula dahil değildi.

Başkan, hepimizin sinirlerini gerecek kadar uzun bir bekleyişten ve bakışlarıyla bizi, sandalyelerimizde iyice ezdikten sonra bir kez daha "Medeniyet!…" dedi, yine sustu. Ne yapacağımızı, hangi yöne bakacağımızı bilemiyorduk. Ben zaten böyle toplum önünde büyük jestler yapan insanlar gördüğüm zaman onların yerine kendim utanır ve iyice küçülüp yok olma isteğine kapılırım. Neyse ki Başkan bu sefer bizi fazla bekletmedi:

"Bu kelimenin anlamını biliyor musunuz arkadaşlar?"

Bizi yine büyüsü altına almış ve kendimizi sert bir öğretmenin önünde sınava kalkan öğrenciler gibi duyumsamamızı sağlamıştı. Kimbilir uzun politik yaşamında kaç kez başvurduğu bir taktikti bu. Ustası olduğu bir yöntemdi.

Kimse ses çıkarmadı ama hepimiz olumlu anlamda başımızı salladık.

"İyi düşünün, medeniyet diyorum. İnsanoğlunun medeniyeti. İnsanı hayvandan ayıran ve onu şerefli kılan düşünceler, metotlar, yönetim biçimleri."

Söylediklerini iyice kafamıza sokmak ister gibi yine bir parça durup sonra devam etti:

"Anayasalar, kurallar, serbest piyasa, teşebbüs hürriyeti."

Biz yine olumlu anlamda kafalarımızı salladık. Ve o anda Başkan, biraz önceki düşünceli ve sakin ses tonuna hiç benzemeyen ani bir yükselişle, "O zaman, niçin bu adada medeniyetin dışına düşmüş vahşiler gibi yaşamayı tercih ediyorsunuz arkadaşlar?" diye sordu.

Böyle bir soruya ne cevap verilebilirdi ki. Anayasa yapmamızı, meclis seçmemizi, kolluk kuvvetleri oluşturmamızı mı öneriyordu?

Başkan, bizi iyice kıvama getirdiğine inandığı bir anda uzun söylevine başladı:

"Bakın, sevgili komşularım," dedi. "İnsanoğlu, bugün eriştiği medeniyet seviyesine gelmek için çok büyük çabalar harcadı. Bu uğurda kan döküldü, kelleler gitti, bu yüzden bugün insanım diyen hiç kimse medeniyete sırtını dönerek, insanlığı geri götürecek hareketler yapamaz. Bu güzel adaya geldiğim günden beri bazı olumsuzluklara ve düzeltilmesi gereken yanlışlara rastlıyorum. Siz alıştığınız için belki görmüyorsunuz ama bu aksaklıkları elbirliğiyle düzelttiğimiz zaman, adamızda yaşayan herkesin refahı, huzuru ve serveti artacak. Burada ortak çıkarlarımız söz konusu. Hiçbirimiz rakip değiliz."

Söylediklerinin martılarla ne ilgisi olduğunu hâlâ kavrayamamıştık.

"Bakın, 1 Numara arkadaşımızın saygıdeğer pederi, sizlere büyük bir iyilik yaparak, hiçbir ücret almadan gelip adasını kullanmanıza, kendinize birer ev yapmanıza izin vermiş. Ben hayatta bundan büyük bir lütuf duymadım. Bu dünyada her şey karşılıklıdır. İnsanlar Tanrı önünde eşittir ama hayattan zekâları, becerileri, azimleri ve kazanma hırslarına uygun olarak pay alırlar. Bu yüzden mutlak eşitlik yoktur. Zaten 'vermek' kelimesi insanoğlunun yapısına uygun değildir. Hiç kimse kimseye bir şey vermemeli. Herkes kazanmalı. Değil mi arkadaşlar?"

İşte yeni bir soru gelmişti ve biz susuyorduk.

Başkan acı acı gülümseyerek, "Peki," cevabını verdi. "Hayat nasıl olsa size bu görüşlerin doğruluğunu kanıtlar."

1 Numara kendini tutamayarak yüksek sesle güldü. Hepimiz ona baktık, biraz mahcup oldu ve sustu. Bu adamdaki ani değişikliği anlayamıyorduk. Başkan'la düşüp kalkmaya başladıktan sonra bambaşka biri olmuştu sanki.

Başımıza felaketler geldikten sonra pişman olan bir komite üyesi bize sonradan olup biteni açıklayacaktı: Başkan adaya geldiği ilk günden itibaren zavallı 1 Numara'yı gözüne kestirmiş. "Sen bana baba yadigârısın!" diyerek onunla saatlerce konuşmuş. "Durumuna çok üzüldüm," demiş. "Rahmetli baban görse o da üzülürdü. Bunca servet ve isim sahibi ünlü bir ailenin oğlu olarak şu haline bak. Adadaki ayak takımına karışmış durumda yaşayıp gidiyorsun. Çünkü seni zararlı eşitlik fikirlerine, uyuşukluğa, haklarını savunmamaya alıştırmışlar. Oysa insanlar eşit değildir. Güçlüler ve zayıflar vardır ve hayat bunlar arasındaki mücadeleden ibarettir. Sen güçlüler arasındaki yerini almalısın. Turizmin bunca geliştiği, milyar dolarların kıyılara ve adalara aktığı bir dönemde, bu adanın değerini ölçebilir misin? Ha, ölçebilir misin? Adalılar seni kandırmış, elindeki pırlantayı boncuk sanmana yol açmış. Sen servet sahibi bir insansın ve ona göre davranman gerekir. Eşitlik, dostluk, demokrasi... bunlar hep zayıfların uydurduğu saçmalıklar. Çünkü onların yaşayabilmek için bu gibi kavramlara ihtiyacı var. Güçlünün ise bir tek isteği vardır: Daha fazla güç!"

Bu sözlerin sevgili dostumuzu etkilediği açıktı. Çünkü artık bizim gibi giyinmiyor, bizlerden biri gibi davranmıyor ve zamanının çoğunu Başkan'la geçiriyordu.

Konuşmanın uzadığını ve başka yönlere kaydığını gören Yazar, "Şu martı meselesine gelseniz!" dedi ve bu, Başkan için bir fırsat oluşturdu. Başladı içi yana yana konuşmaya. Uzun uzun martıların adaya ne kadar zarar verdiğinden, insanları korkuttuğundan, zavallı torununu neredeyse sakat bırakacak martı hücumundan söz etti. Adanın en güzel plajları bu vahşi yaratıklara teslim edilemezdi. Martılar adadaki herkesin düşmanıydı. Bu yüzden bir martı seferberliği ilan edilmeli ve bu yaratıklar adadan sonsuza kadar kovulmalıydı. Medeniyet insanın doğayı istediği gibi denetim altına alması demek değil miydi biraz da!

Konuştukça coşuyor, köpürüyor içindeki martı nefretini saklamaya gerek görmeden, başımızın üzerinde her şeyden habersiz uçmakta olan yaratıklara verip veriştiriyordu. En son, bu konuda uygar komşularının kendisini destekleyeceğine duyduğu sonsuz inancı belirterek konuşmasını bitirdi.

Arkasından Yazar söz aldı. Yorgun bir sesle, "Biz," dedi, "komite toplantısı yapıyorduk. Bu beyler adadaki martıları imha etmemiz gerektiğini söylediler, ben karşı çıktım. Israr edince de bunun son derece önemli bir karar olduğunu, diğer komşularımıza da danışmamız gerektiğini söyledim. İşte şimdi karşınızdayız, sözü uzatmaya gerek yok; bu beyler ve hanımlar adamızdaki martıları öldürmeyi, yumurtalarını kırmayı, adayı martılardan temizlemeyi planlıyorlar. Bunun nasıl bir çılgınlık olduğunu söylemeye bile gerek yok sanırım. Martılar, bizler buraya gelmeden binlerce yıl önce de bu adanın sahipleriydi. Kaç kuşaktır yumurtalarını buraya koyup, yavrularını bu kıyılarda yetiştirdiler, onlara uçmayı ve avlanmayı öğrettiler. Bize de hiçbir zararları yok. Martılara karşı duyulan bu amansız öfkeyi ve yok etme amacını anlamakta güçlük çekiyorum ama biliyorum ki adadaki yaşamı bilen ve bu uyumu bozmak istemeyen sizler, komitenin 'martı seferberliği' diye adlandırdığı bu uygulamaya zaten izin vermeyeceksiniz. Bu yüzden endişem yok."

Yazarın sözleri büyük alkışlarla karşılandı. Komşularımız "Bravo!" diye bağırıyorlardı. Başkan ve arkadaşları bu işi kaybetmiş gibi görünüyorlardı. Yazarın arkasından 32 numaradaki arkadaşımız da kalkıp tumturaklı bir konuşma yapınca artık işin savunulacak tarafı kalmadı.

Belli ki adalılar bu çılgınlığa karşıydı ve Başkan'ın yapacağı hiçbir şey kalmamıştı. Biraz da adamın yenilmiş olmasından duyduğumuz zevkle yüzümüze geniş gülümsemeler yayıldı.

Tam kalkmaya hazırlanıyorduk ki Başkan'ın karısı ayağa kalktı. Bir el hareketiyle hepimizi yerimize oturttu. Sonra, "Bir şeyi unutuyorsunuz sevgili komşularım," dedi. "Bu ada sahipsiz değildir. Adanın sahibi ise yanımızda oturan arkadaşımızdır. Hepiniz buraya bir cömertlik sayesinde gelmiş durumdasınız. Evlerin sahibi sizsiniz ama yasal olarak hâlâ arazinin sahibi 1 Numara. Yani eviniz var, araziniz yok. 1 Numara çok centilmen bir adam, böyle bir şey yapmaz ama her an sizden evinizi kaldırıp başka yere götürmenizi isteyebilir. Bu yüzden herkesten önce, bu adanın sahibi olarak en çok söz hakkına hatta tartışmasız karar verme yetkisine sahip olan 1 Numara'yı dinlememizi öneriyorum."

1 Numara bütün bunları başını önüne eğmiş durumda, mahcup bir ifadeyle dinliyordu. Şaşkınlık içinde söylenenleri reddetmediğini hatta başıyla hafifçe onayladığını gördük. Sonra ayağa kalktı: "Dostlarım," dedi, "beni yıllardır tanıyorsunuz. Sizden ayrım gayrım olmadı, bundan sonra da olacağı yok. Sizi evlerinizden çıkarmayı falan da düşünmüyorum ama kabul etmelisiniz ki sayın devlet büyüğümüz, sevgili Başkan'ımız bazı konularda gözlerimizi açıyor. Onun esas niyeti bu adada yaşayan herkesin daha refah içinde, daha güçlü olması. Yaşadığımız bu süfli hayatı bizlere yakıştıramıyor.

Bana geçen gün bir hayalinden söz edene kadar ben de adanın büyük potansiyelini düşünmeden yaşayıp gidiyordum ama Başkan'ımız geniş ufkuyla kör gözlerimizi açtı, bize yeni olanaklar sundu. Şimdi izninizle kendilerini yorma pahasına, Başkan'ımızın, bu düşünü bütün komşularımızla paylaşması ricasında bulunuyorum."

Adalılara tuhaf bir sessizlik çökmüştü. Birbirlerini kaygıyla süzdüklerini gördüm. Kibar sözlerle ifade edilse bile herkese, bu arazinin kendilerine ait olmadığı ve her an kanun zoruyla oradan atılabilecekleri belirtilmiş oluyordu. Yani önce cehennem gösterilmişti, şimdi ise sıra cenneti göstermeye gelmişti.

Başkan yine ayağa kalktı, "Sevgili komşularım," dedi, "sizin gibi güzide bir topluluğa hitap ederken sözü çok fazla uzatmaya gerek olmadığını, dediklerimi anlayacak kadar zeki ve gelişmiş olduğunuzu bilmenin rahatlığı içindeyim. Dünya turizmin altın çağını yaşıyor. Her yıl yüz milyonlarca turist, sıcak denizlere, mavi koylara sahip güzelim adalara akıyor. Bizim adamız, dolayısıyla da siz, niye bu büyük endüstriden payınızı almıyorsunuz? Bu işe hiçbir engel yok. Hemen yarın ülkemizin ve dünyanın en büyük şirketleri gelip bu cennet koylara beş yıldızlı oteller, lüks kumarhaneler, diskolar, eğlence merkezleri yapmaya başlayabilir. Bu milyarlarca dolarlardan hepiniz nasibinizi alabilirsiniz. Ama siz bu dünya cenneti koyları martılara terk etmişsiniz. Kafanıza doldurulmuş saçma sapan çevreci fikirlerle, aman martılar orada yumurtlasın, aman bu kuşlar tedirgin olmasın diye cennet gibi adayı bir çöplüğe çevirmişsiniz. Topladığınız çam fıstıklarının geliriyle de geçinmeye çalışıyorsunuz. Başta söylediğim medeniyet kelimesini hatırlıyor musunuz arkadaşlar? Hiçbir medeni insan böyle davranmaz, kendi çıkarını bu kadar göz ardı etmez. Haydi şimdi bir karar alalım ve adamızı şu gereksiz martı teferruatından kurtaralım."

Çevreme baktım ve masalarda oturan adalıların çoğunun bu sözler karşısında sarsılmış olduğunu gördüm. Önce martı seferberliğini saçma bulmuşlar, sonra evlerinden atılma tehdidiyle ürkütülmüşler, arkasından da büyük bir zenginlik hayaliyle umutlandırılmışlardı. Artık neye inanacaklarını bilemiyor, hatta doğru dürüst düşünemiyorlardı. Uyuşmuş gibiydiler. Bu durumda yapılacak bir oylama mutlaka Başkan'ın lehine sonuçlanacaktı. Yazar da durumu sezmiş olmalı ki ayağa kalkıp tekrar konuşmak istedi ama söz hakkını kullandığı gerekçesiyle susturuldu. Artık grup oylamaya geçmeye hazırdı ve sonuç şimdiden belliydi.

Tam bu sırada yanı başımdan yumuşak bir ses yükseldi.

Lara olanca kibarlığıyla söz hakkı istiyordu. "Bakın," diyordu, "Başkan'ın hanımı konuştu, bizlerden de bir hanımın konuşmasına izin verilmeli. Uygarlık diyorsunuz, uygarlık bunu gerektirir."

Başkanlık komitesi, kararı geciktirecek olan bu son engele biraz sinirlendi ama sonra birbirlerine bakıp kabul ettiler:

Lara, "Sayın Başkan," dedi. "Bugün bütün komşularımız buraya sizin önerinizi reddetmeye geldi ama şimdi fikir değiştirmeye başladıklarını görüyorum. Çünkü onları evlerinden barklarından atmakla tehdit ettiniz, sonra da zenginlik vaat ederek yüreklerine umut tohumları serptiniz. Bu başarıdan dolayı sizi kutluyorum ama adada oturan sade bir kişi olarak sormak istiyorum. Martıları hangi yöntemle kaçıracaksınız?"

Başkan alaycı bir edayla, "Kaçırmaktan söz eden kim?" dedi. "İmha edeceğiz."

"Nasıl!"

"Siz hiç av partisi görmediniz mi? Tüfekle hepsini avlayacağız, yumurtaları da kıracağız. Anlayacağınız bir çeşit av şöleni."

"Peki mademki kararlısınız, bu barbarlığa hiç gerek kalmadan kuşları ikiz adalara yönlendirmek yolunu deneyemez miyiz?"

Başkan, barbarlık sözüne kızdı.

"Peki küçük hanım," dedi, "martıları diğer adalara nasıl yollayacağımızı söyleyin de öğrenelim bari. Onlara bildiri mi dağıtacağız, 'Bundan sonra mekânınız karşı adalardır, marş marş!' mı diyeceğiz?"

Bu espriye gülenlerin çokluğu, Başkan'ın davayı kazandığının habercisiydi.

Sevgilim son bir gayretle, "Karşı adalara bol bol balık bırakırız, yumurtalarını saklayacak barınaklar yaparız, zamanla alışırlar," dedi.

Ama kalabalık artık bu "saçmalıkları" dinlemek istemiyordu. "Oylayalım, oylayalım" sözleri yükseldi ve yapılan oylama sonucunda, o gün oraya öneriyi reddetmek için gelmiş olan komşularımızın çoğu "Evet" dedi.

Artık katliamın planlanmasından başka bir iş kalmıyordu. Martılar ise bu konuşmalardan habersiz, binlerce yıldır yaptıkları gibi adanın üstünde çığlık çığlığa uçmayı sürdürüyordu.

Toplantıdan sonra hemen ayrılmıştık oradan, kimseyle göz göze gelmeden hem de. Planlanan katliamı düşünmek istemiyorduk ama söz dönüp dolaşıp bu konuya geliyordu.

O geceyi anlatmak için tek bir sözcük seçmem gerekse, bu herhalde "utanç" olurdu. Adada ilk kez insanlar birbirlerinden utanıyor ve yolda karşılaştıkları zaman bile gözlerini kaçırıyordu. Toplantı dağılırken de hiçbir komşuluk ya da dostluk havası kalmamış, herkes bir an önce evine kaçıp saklanmak isteyen suçlular gibi dağılıvermişti; ne bir gülücük, ne bir baş selamı. Donuk bakışlar, asık suratlar...

Biz de evimize kapanmıştık.

Adadaki değişimin ilk büyük göstergesi, o toplantıdan sonra dağılan ve bir daha hiçbir zaman yerine konulamayacağını içten içe duyumsadığımız o dostluk, kardeşlik havasının yitip gitmesiydi.

Oysa eskiden adanın en güzel tarafı, insanların bir aile oluşturacak biçimde günün büyük kısmını birlikte geçirmeleriydi.

Birbirimizi her gün görmemize rağmen, yolda ya da kıyıda karşılaştığımızda hararetle konuşmaya koyulurduk. Konularımız hiç bitmezdi.

Gerçi bazen selam verip bazen vermeyen, kendi içlerinde problemli, bizim deyimimizle "eserekli" bir-iki kişi vardı ama biz onlara aldırmamayı, daha doğrusu onları oldukları gibi kabul etmeyi öğrenmiştik.

Çünkü yazılı olmayan en büyük kuralımız, kimsenin kimseye karışmamasıydı.

O gece Lara'ya, "Niye o çıkışı yaptın?" diye sordum yumuşak bir sesle.

"Çünkü," dedi, "oradaki insanlara nasıl bir vahşetin içine sürüklenmekte olduklarını bir kez daha hatırlatmak istedim. Bildiğim kadarıyla hiçbiri şiddet yanlısı değil. Onları yıllardır tanıyoruz. Sevecen, uysal, barışsever kişiler."

"Ama koşullar insanları değiştiriyor."

"Yine de bunca yıldır birlikte oturup kalktığımız bu insanların birer vahşiye dönüşebileceklerine ihtimal vermiyorum. Yarın manzarayı görünce pişman olacak ve kararlarından geri döneceklerdir."

"Kusura bakmadın, değil mi Lara?"

"Niçin?"

"Biliyorsun ben topluluk önünde konuşmayı beceremem!"

"Ben de. Ama bir an kendimi mecbur hissettim."

İçim sızlayarak, sonu kötü biten halk ayaklanmalarındaki bütün kurban kahramanların "kendini mecbur hissettiği için" bu işleri yaptığını hatırladım. Ama Lara'ya onlar gibi bir zarar gelmeyecekti. Onu bu olayların dışında tutmaya kararlıydım.

Gecenin karanlığına gömülmüş olan adadaki hiçbir evden çıt çıkmıyor, bir süre öncesine kadar bahçelerden yükselen müzik ve kahkaha sesleri şimdi duyulmuyordu.

Ben bile o sıkıntılı gecenin bazı anlarında kendimi, turistik bir adanın nasıl olacağını düşünürken, daha doğrusu böyle bir durumu gözümün önüne getirmeye çalışırken yakaladım.

Beş yıldızlı oteller, denize inip kalkan uçaklar, bir marinaya demirlemiş lüks yatlar, ışıl ışıl otel kumarhaneleri, çevrede dolaşan, plaj voleybolu oynayan bikinili güzel vücutlu kızlar, sörf yapan delikanlılar, çeşit çeşit lokantalar, herkese iş imkânı, zenginlik... Bunlar, adalıların aklını nasıl çelmezdi ki...

Bu hayalin en çok, yetişkin çocuklarından ayrı düşmüş aileleri etkilediğini düşünüyordum. Çünkü hiçbir genç bu ıssız ve sıkıcı adada yaşamak istemiyor, dolayısıyla kendisine bambaşka bir hayat kuruyordu. Turistik bir patlama bu gençlerin hepsini adaya getirebilir, onları ailelerine kavuşturabilirdi.

Gece, bir yandan yanımda yatan Lara'nın düzenli ve hafif soluklarını dinliyor, bir yandan da durmadan hayal kuruyordum.

Sonra bunu niye yaptığımı, derinlerde yatan nedeni anladım ve biraz utandım doğrusu. Yazar'ı düşünmemek için bu yola başvuruyordum. Beni tembihlemiş olmasına rağmen toplantıda konuşmadığım, katliam önerisine karşı çıkmadığım için onunla göz göze gelmemeye çalışmış, oturum biter bitmez de kaçmıştım oradan. Adım gibi biliyordum ki beni suçluyor, zayıflığımdan utanç duyuyordu.

Onu göremezdim; hayır, hayır kesinlikle göremezdim! Sevgili dostum ve edebiyat hocamın gözlerine bakacak cesaretim yoktu.

Belki milyonlarca kuş vardı havada. Kanat çırpıyor, dönüyor, birbirlerine karışıyor, sonra tekrar açılıyor, V şeklinde uçuyor, aniden geri dönüyor ve düzensiz sürüler oluşturuyorlardı. Uzak diyarlara göç eden, denizler, ovalar, ülkeler aşan kuşlardı bunlar. Okyanusu geçerken bir noktaya geliyor, birbirlerine karışarak dönüp duruyorlardı. Ortalık ciyak ciyak kuş sesinden geçilmiyordu. Neredeyse bütün dünyayı dolduracak kadar büyüktü bu sesler. Ağlıyor, haykırıyor, hesap soruyor ve çaresizliklerini duyuruyorlardı birbirlerine.

"Ada nerede?" diye soruyorlardı. "Adamız nerede? Uzun mesafeleri aşarken, hep bu adada konaklar dinlenirdik, atalarımız da böyle yapardı. Ama şimdi adamız yok. Nereye ineceğiz, nereye konacağız?"

"Ada yok olmuş. Bu durumda devam etmemize olanak yok. Kıyıya kadar gidemeyiz."

Ben bu konuşmaları anlıyordum ve bu hiç de tuhafıma gitmiyordu. Hatta o güne kadar neden martıların konuşmalarına dikkat etmediğime şaşırıyordum. Eskiden beri onların dilini biliyormuş gibiydim.

Binlerce kuş birbirine karışarak, ciyaklayarak dönüp durdular gökyüzünde. Dönüp durdular, dönüp durdular; yorgun kanatlarını kıpırdatamayacak hale geldiler. Orada bir kara parçası bulup dinlenmeleri, okyanusun kalan kısmını aşacak gücü toplamaları gerekiyordu ama binlerce yıldır kondukları, genetik kodlarına bilgi olarak kayıtlı olan ada yok olmuştu işte. Belki de bir depremle denizin dibine batmıştı. Döndüler, döndüler, döndüler, giderek yavaşladılar, giderek alçaldılar. Sonra içlerinden biri, gümüş sırtlı bir martı denize doğru müthiş bir dalış yaptı. Öteki kuşların şaşkın bakışları altında çok sert bir biçimde çarptı denizin ayna gibi yüzeyine. Ve öldü!

Diğerleri biraz daha ciyaklayarak döndüler, sonra bir martı daha kendini denize çakarak intihar etti. Sonra biri daha, biri daha, biri daha!...

Gün batımına kadar gökyüzünde daire oluşturarak uçan binlerce kuşun hepsi intihar etti. Denizin yüzü, dalgalarla sallanan kuş ölülerinden görünmez oldu.

Ondan sonra ortalığı derin bir sessizlik kapladı. Dünyanın sonu gelmiş gibi oldu.

İşte rüyanın tam burasında soluk soluğa uyandım. Bir kolu ve bacağı üstümde olan Lara uyandığımı hissetti, başını kaldırarak, "Ne oldu?" diye sordu. "Azrail yoklamış gibisin tatlım. Sakinleş. Rüya mı gördün?"

"Evet!" dedim ve rüyayı bütün ayrıntılarıyla Lara'ya anlattım. "Adamız yok olmuştu!" dedim. "Denizin dibine batmıştı; bu yüzden göçmen kuşlar binlerce yıldır yaptıkları gibi açık denizi aşarken, ayak basacak bir yer bulamadılar. Birer birer intihar ettiler, deniz hepsini yuttu."

Lara başımı okşayarak sakinleştirdi beni, "Hayal meyal böyle bir şey hatırlıyorum," dedi, "Galiba eski denizcilerden biri görmüş bu olayı." Lara'nın da sözünü ettiği bu olaya ilişkin bilgi, demek ki bilinçaltıma takılıp kalmıştı; adamızla ilgili bir kehanet değildi, bir yerde okuduğum ilginç bir olaydı.

Kalkıp yasemin kokularının iyice aygın baygın hale getirdiği bahçeye çıktık. Birer adaçayı içtik ama ne yapsak olmuyordu, sakinleşemiyorduk. Ertesi sabah olacaklarla ilgili müthiş bir tedirginlik içindeydik.

Yazar haklıydı; onun, "Oyun daha yeni başlıyor!" derken ne kastettiğini düşünmek bile istemiyordum.

Oysa fıstık toplama mevsimi gelmişti. O günlerde ağaçları heykel gibi budama, evlere ne kadar yaklaşılacağı talimatı, genel kurallar ve martı düşmanlığıyla uğraşacağımıza çam fıstıklarını toplamalıydık.

Ben bunu size anlatmış mıydım, daha önce sözü geçti mi çam fıstıklarının; hatırlamıyorum. Ama galiba… galiba anlatmadım. Söylemiştim size, işte benim yazarlığım bu kadar. Bu bilgiyi size vermediğimi, adamızdaki yaşamı anlatırken bu önemli ayrıntıyı atladığımı şimdi hatırlıyorum; tam martı hücumu öncesinde, hiç de yeri ve zamanı değilken bunu size aktarma telaşına düşüyorum, çünkü önemli.

Neyse, özür dileyerek kısaca şu bilgiyi vereyim size: Adamızda çok ilginç bir çam çeşidi vardır; *pinus pinea*. Bu yüksek ağaçlarda, nadide fıstıklar yetişir. Bunlar çok para ettiği için bu mevsimde hepimiz ağaçlara tırmanır ve çam kozalaklarını toplar, içlerindeki fıstıkları çıkararak çuvallara doldururuz. Çuvallar bakkala teslim edilir, o da birtakım işlemlerden sonra vapura verir bunları. Başkentteki tüccarlar iyi para öder çam fıstıklarına. Gelen parayı yine bakkal alır ve adadaki bütün evlere eşit olarak paylaştırır. Bu para bizim zaten pek az olan gazete, süt vs. gibi ihtiyacımızı karşılar. Adadaki alçakgönüllü yaşamın para kaynağı budur işte.

O gece Lara'yla acı acı, fıstık toplama mevsiminde olduğumuzu, bu olaylarla başımız derde girmese şimdi mutlu bir hasat dönemi yaşamakta olacağımızı düşündük. İçimiz burkuldu.

Oysa bir önceki yılın aynı günleri ne güzeldi. Sabah yola çıkanlar, önlerinden geçtikleri evdeki insanlara sesleniyordu. Yetişebilenler kafileye katılarak çam ormanına doğru yürüyordu. Herkesin elinde bir şeyler oluyordu. Öğle yemeği için götürülen yiyecekler, içecekler, fıstıkların doldurulacağı çuvallar, sepetler neşeyle taşınıyordu. Yetişemeyenler ormana daha sonra geliyordu.

Zaten kimin kaç saat çalıştığının, ne kadar fıstık topladığının hesabı tutulmuyordu. Herkes elinden geldiği kadarını, içinden geldiği kadarını yapıyordu.

Çalışmaya en sık ara verenler –belki onlardan da size söz etmedim– müzisyen arkadaşlarımız oluyordu. Flüt ve gitar sesleri dolaşıyordu ormanda. Bazen sözlerini bildiğimiz bir ezgi oluyordu fıstık toplarken bize eşlik eden. O zaman biz de müzisyenlere eşlik ediyorduk. Bazen de daha önce duymadığımız bir müzik çalıyorlardı. Pek sormuyorduk, işin o kısmı bizi ilgilendirmiyordu, galiba doğaçlama bir şeyler de çalıyorlardı. Ama onlardan dinlediğimiz müzik hep tanıdık geliyordu bize.

Her zaman o kadar hevesli olmuyorlardı müzik yapmaya. Biz de zaman zaman istekte bulunuyorduk. Ama bazen kibarca, "Daha sonra," diyerek kabul etmedikleri de oluyordu. Fakat arkadaşlarımızın doğum günlerinde, özel günlerde gönüllü olarak ortaya çıkıyorlardı. Geçen yılki fıstık toplama günlerinde de her şarkı isteğini yerine getirmişlerdi. Bir seferinde bilmedikleri bir parça istenmiş, bir şeyler uydurmuş, bizi güldürmüşlerdi.

Lara'nın sesiyle tekrar o geceye döndüm: "Bu katliama engel olmalıyız! Geri dönülmez noktaya gelmeden önce, komşularımızı uyarmalıyız," diyordu. Arkasından da gece yarısını çoktan geçmiş olmasına rağmen enerjik bir hamleyle ayağa fırladı. "Hadi," dedi, "kalk gidiyoruz."

Sonra beni elimden tutup sürüklemeye başladı. İlk önce 29 numaradaki emekli notere gittik. Onları uyandırmaya kararlıydık ama eve yaklaştığımız zaman gördük ki zaten kimse uyumuyor; hatta 30 ve 27 numaradakiler de gelmiş, bahçede fısıldaşıp duruyorlar.

Bizi görünce, lamba ışığıyla aydınlanmış yüzlerinde bir sevinç ifadesi okuduk ve buna hiç şaşırmadık. Onlar da aynı konuyu konuşuyorlardı elbette ve bu işi durdurmamız gerektiğini düşünüyorlardı.

Adadaki huzuru bozacak böyle bir girişim kanımıza dokunuyordu. O martılarla biz yıllardır yan yana yaşıyorduk, birbirimize alışmıştık, hiçbir sorunumuz yoktu. Durup dururken bu masum hayvanları öldürmek, yumurtalarını kırmak kabul edilemezdi. Ne olursa olsun, işe mutlaka engel olmalıydık.

Çok dengeli bir kişiliğe sahip olan ve sözü dinlenen noter bey, "Komşularımızın çoğunun bizim gibi düşündüğüne eminim, hiçbir canlıya zarar vermek istemezler ama bugün toplantıda ne yapacaklarını bilemediler. İçlerine sinmemesine rağmen böyle bir karar çıktı," dedi.

Bunun üzerine kafa kafaya verip o saatte ne yapılabileceğini tartıştık. Aslında komşularımızı ikna edebilirdik ama saat çok geç olmuştu, beş-altı saat sonra katliam başlayacaktı.

Bir süre sessiz kaldık, düşünceye daldık.

Lara'nın kalkıp eve gittiğini gördüm. İçeride üç-beş dakika kaldı. Sonra elinde bir kâğıtla çıkageldi.

"Size bir şey okuyacağım!" dedi, "dinleyin."

Sonra şu kısa şiiri okudu:

> *Yasak tanımaz rüzgâr*
> *Zincir vurulamaz martıya*
> *Bir de insan kalbine.*

Şaşırdım; bu saatte, hepimiz çaresizlik içindeyken şiirle uğraşmasına bir anlam veremedim. Herhalde herkes benim gibi düşündü ki bir sessizlik oldu.

Bunun üzerine bir şeyler söylemem gerektiğini düşünerek, "Çok güzel!" dedim. "Şimdi mi yazdın bu şiiri?"

"Hayır, hayır!" dedi "Yanlış anladınız, bu benim şiirim değil, Puşkin'in bir şiirini biraz değiştirdim, hepsi bu! Aslı kartalla ilgili."

Noter, "Peki ne yapacağız bununla?" diye sordu.

"Bir bildiri yazacağız?…"

"Nasıl bildiri?"

"Martı katliamının ne kadar delice bir iş olduğunu anlatacağız. Altına da bu şiiri koyup, komşularımızı bu işten vazgeçmeye çağıracağız."

"Sonra?"

"Sonra, bu bildiriyi yarım saat içinde bütün evlerin kapılarının altından atacağız. Uyanık olanlara elden vereceğiz."

'İşte benim Lara'm bu,' diye geçirdim içimden. O kırılgan, zayıf gövdesinde müthiş bir enerji ve mücadele ruhu gizli. Teslim olmuyor, katliama üç-beş saat kala barış için savaşma azmini yitirmiyor, işte benim sevgilim, işte benim ruhum, bir tanem, kadınım! Sözleriyle ruhumun, alev alev yanan ince bedeniyle gövdemin yaralarını saran yavuklum.

"Hadi işe koyulalım!" dedim. "Bildirileri çoğaltalım, evlere dağıtalım. Bir saat içinde bitiririz."

Noter bey ve 27 Numara bu işe pek akıllarının yatmadığını belirttiler. Zaten kararını veren vermişti; bu saatten sonra bir bildiri neyi değiştirebilirdi ki? Hele bir şiir, değiştirilmiş bir Puşkin şiiri… Bunun işe yarayacağına inanmıyorlardı.

Lara, "Şiir silahtan güçlüdür!" diyerek onları dinlemeden yine eve gitmiş ve bildiriyi kaleme almaya koyulmuştu. Yanına gittim, yazdıklarını okudum, çok beğendiğimi söyledim, gövdesinden taşan enerjinin herkesi ikna edeceğine inandım.

Ama sonuç onun beklediği gibi olmadı. Noter bey ve arkadaşları durumu değerlendirdiklerini ama silahlı nöbetçilerin bulunduğu adada, gece evlere girme riskini göze alamayacaklarını belirttiler. Eskiden böyle bir şey olabilirdi ama Başkan'ın evindeki martı hadisesini ve bakkalın dayak yiyen oğlunu hatırlamıyor muyduk? Bu gergin ortamda çok tehlikeli bir girişim olurdu bu. İnsanlar vurulabilirdi.

Bunun yerine başka bir yol önerdiler: Sabahın erken saatlerinde martı kıyısına giden yolda bekleyip bildiriyi orada dağıtmak uygun olabilirdi. Lara'nın sabırsız ruhu bu ihtiyatlı yaklaşımdan pek hoşnut kalmadı ama yapacak bir şey de yoktu artık.

O gece bir-iki saat huzursuz bir biçimde uyuduk. Lara'yla birbirimize sarılarak uyumamız bile içimizi kaplayan tedirginliği gidermeye yetmedi.

Günün ilk ışıklarıyla birlikte, martı kıyısına giden yola koştuk. Ortalıkta kimsecikler yoktu. Güneş, beyaza kesmiş sabah denizinin üstüne parlak ışık huzmelerini yollamaya başlıyordu. Erkenci kuşlar ötüyordu ağaçlarda. İnsanın başını dinç kılan hafif bir serinlik hissediyorduk, sabah çiyi içimizi ürpertiyordu. Bir süre öylece bekledik, sonra sesler duyulunca ayağa kalktık.

Başkan, adamları, 1 Numara ve 8 Numara sökün ettiler. Hepsinin elinde birer tüfek vardı. Başkan da adamları gibi güneş gözlüğü takmıştı. Neşeli bir tavırla martı kıyısına doğru yürüyorlardı.

Bizi görünce şaşırdılar, ne yapmak istediğimizi anlamaya çalıştılar. Martı katliamına karşı çıkan Lara'nın orada bulunuşunu neyle açıklayacaklarını bilemediler. Acaba fikir mi değiştirmişti, yoksa başka bir amacı mı vardı?

Başkan bize sevimli bir gülümsemeyle, "Günaydın!" dedi. Olup bitenleri ve onun kim olduğunu bilmeseniz, sabah sabah günaydın diyen sevimli bir yaşlı adamla karşı karşıya olduğunuza inanmanız işten bile değildi. Beyaz giysileri içinde son derece yakışıklı, tertemiz, disiplinli ve kibar görünüyordu.

"Bize katılmaya mı geldiniz?" diye sordu Başkan. "Sizlere birer tüfek verelim."

"Hayır!" dedi Lara, "Biz katil değiliz!"

Bunun üzerine Başkan'ın yüzü kıpkırmızı kesildi, sinirden titremeye başladı.

"Sözlerinize dikkat edin küçük hanım!" dedi. "Kiminle konuştuğunuzu unutmayın."

Başkan'ın sinirlenmesi üzerine adamları da Lara'ya doğru hareketlendiler. Ben —kendimden hiç beklemediğim bir cesaretle— aralarına girdim. Elimdeki bildirileri önce adamlara, sonra Başkan'a ve diğerlerine verdim.

Şaşırdıklarını hissediyordum. Başkan baktı ve "Nedir bu?" diye sordu.

"Barış bildirisi!" dedim.

Başkan yine hayretini gizleyemeyerek bildiriyi yüksek sesle okudu:

Sevgili komşularımız,
Sizleri bu sabah yapılacak martı katliamı konusunda uyarmak için bu bildiriyi kaleme alıyoruz. Martılar bu adanın barışçı sahipleridir, bizim komşularımızdır. Bizlerden çok önce bu adaya yerleşmiş ve binlerce yıldır burayı yurt edinmişlerdir. Bize hiçbir zararı dokunmayan bu masum canlıları katletmek ancak vicdansızlık ve katliam arzusuyla açıklanabilir. Bu nedenle, siz sevgili barışsever adalıları bu insanlık suçuna ortak olmamaya, barış ve huzurun bayrağını yükseltmeye çağırıyoruz.

Başkan bir an durdu, sonra devam etti:

Yasak tanımaz rüzgâr
Zincir vurulamaz martıya
Bir de insan kalbine.

Bir süre okuduklarına inanamamış gibi hayretle baktı, sonra kahkahayla gülmeye başladı. Öyle yapmacıktan değil, sahiden, ağız dolusu, gözlerinden yaş gelecek kadar gülüyordu. Bu kahkahalar ötekilere de sirayet etti, onlar da güldü.

Başkan, "Hele şu şiir, hele şu şiir!" diyerek katılıyordu ve kahkahalardan kesik kesik bir biçimde okumaya çalışıyordu.

"Dinleyin, dinleyin: Yasak tanımazmış rüzgâr ve... ve... zincir vurulamazmış martıya. Bu kadar bayat, antipatik, saçma bir şey okudunuz mu şimdiye kadar ha, ha? Zincir vurulamazmış martıya!"

1 Numara, "Sanki martı değil, Jeanne D'arc mübarek!" dedi. Yine hepsi kahkahayı bastı. Sadece Başkan'ın adamları gülmüyor ve Lara'yla beni süzmeye devam ediyordu.

Bu alaylara karşı bir şey yapamamanın, yanımdaki kızı koruyamamanın sıkıntısı çöreklendi içime ama silahlı adamlara karşı ne yapabilirdim ki.

Başkan bir süre güldükten sonra sakinleşti ve ciddileşti, "Ben bu barış bildirisi numaralarını çok gördüm," dedi. "Toplumun huzurunu bozmak isteyen bütün bozguncular, teröristler, anarşistler böyle bildirilerin arkasına sığınır. Ömrüm, bunlara hadlerini bildirmekle geçti. Demek bu adada da karşıma çıktı bu tipler. Merak etmeyin, her şey yine aynı biçimde sonuçlanacak. Hem bu merhametli aydın numaralarını da kimse yutmuyor artık. Şu acemi şiire bakın. Bunu ilkokul çocuğu yazmaz. Ben sana günde elli tane yazayım bu şiirden, yüz tane yazayım."

Lara, "Bunu yazan Alexander Puşkin!" dedi.

"İşte," dedi Başkan, "her şey yavaş yavaş ortaya çıkıyor, kendi ağzınla komünist bir komplonun parçası olduğunu itiraf ettin."

Başkan yavaş yavaş adada olduğunu unutuyordu, neredeyse adamlarına, karşısındaki bozguncu kızı tutuklamaları talimatı verecekti.

Lara, "Alexander Puşkin," dedi, "komünizmden yıllarca önce öldü."

"Olsun," dedi Başkan, "Ruslarda her zaman bir komünizm ruhu vardı zaten."

Sonra yüzümüze bakmadan yoluna devam edip gitti. Ötekiler de peşine düştü.

Önümden geçen 1 Numara'ya, "Ayıp ediyorsun!" diye fısıldadım, "çok ayıp ediyorsun!"

Bir an durakladı ama dönüp bakmadı, sonra Başkan'ın ardından yürüdü.

Bu karşılaşma sinirlerimizi bozmuştu ama ilginç bir durumun farkına varmak, bu bozgunu bir zafer duygusuna çevirmeye başlamıştı.

Ortalıkta kimse görünmüyordu. Elimizde bildirilerle, ağaçlı yoldan gelecek insanları beklememize rağmen kimse gelmiyordu. Ortalık sessizdi.

Bir süre daha bekleyince içimizdeki sevinç iyice arttı. Çünkü aradan bir saat geçmesine rağmen yine kimse gelmemişti. Sadece Başkan, adamları ve iki adalı. Hepsi bu kadar!

Adalıların bu katliama katılmaması içimizi umut ışıklarıyla doldurdu. Demek ki dün toplantıda mecbur kaldıkları için öyle söylemişler sonra düşünüp taşınıp kendilerine gelmişlerdi. Adalılarımıza güven duymaya hazır yüreğimiz, bu sessizliği bir halk direnişi olarak algılamamıza neden oldu. Komşularımızla gurur duyduk.

Açıklamakta güçlük çektiğimiz tek olay, 1 Numara'nın bu kadar kolayca tuzağa düşmesi ve Başkan'ın safına kayıvermesiydi. Belli ki adanın tek sahibi olma duygusunun okşanması hoşuna gitmiş, kendisini bizden yukarıda görmeye başlamıştı. Ama işler böyle giderse, sonunda onu da tekrar kazanabilirdik.

Tam bu anın keyfini çıkarıyorduk ki ilk silah sesini duyduk. Yanımızdaki tepe, martı kıyısını görebilecek bir konumdaydı. Hemen oraya tırmandık. Bu arada silah sesleri artmıştı.

Tepeye vardığımızda gördüğümüz manzara dehşet vericiydi. Başkan ve adamları sahilde durmuş, martılara ateş ediyor ve usta atıcılar olan profesyonel adamlar sayesinde bir sürü martıyı vuruyorlardı.

Martılar çığlık çığlığa uçuyor, yumurtalarını bırakarak havada daireler çiziyorlardı. İçlerinden bir-ikisinin, kıpkırmızı kana belenerek denize çakıldığını görüyorduk. Sanki kayıp adanın olduğu yere pike yapıyorlardı. Silahlar birbiri ardınca patlıyordu.

Elimiz kolumuz bağlı, hiçbir şey yapamadan bu dehşet verici katliamı izlemek korkunçtu. Lara'nın gözlerinden akan yaşlar dinmek bilmiyordu. Kesik kesik hıçkırıyor, bir yandan da, "Alçak katiller!" diye söyleniyordu.

Silah sesleri adanın her tarafından duyuluyor olmalıydı ama ortalıkta kimse yoktu. Sanırım herkes evine kapanmıştı. Yazar'ın ne yaptığını merak ettim, herhalde o da bir başka tepeden katliamı izliyor ya da yüreği götürmediği için evde kulaklarını tıkamış vaziyette oturuyordu.

Katliam birkaç saat devam etti ama martılar o kadar çoktu ki, öyle birkaç tüfekle yok edilmeleri mümkün değildi.

Kıyıdan kaçıp uzaklaşabilirlerdi ama biraz gittikten sonra geri dönüyor, yumurtalarını koruma içgüdüsüyle silahların menziline giriyorlardı.

Adamlar elli-altmış martı öldürdükten sonra ya bıktılar, ya yoruldular ya da taktik değiştirdiler. Geri döndüklerini gördük. Tepeden ayrılıp, bir dehşet duygusu içinde titreyerek eve döndüğümüzde martılar hâlâ çığlık çığlığa uçmaya devam ediyordu. Ama içlerinden bazıları, artık bir daha kıyıya, civcivini taşıyan yumurtasına dönemeyecekti.

O karışık ruh durumunda hemen yazar dostumuzu aramaya çıktık. Artık ondan utanmamız için bir sebep kalmamıştı. Küçük de olsa bir zafer kazanmıştık. Bazı martılar ölmüştü ama bu iş Başkan ve adamları için genel olarak bir fiyaskoyla sonuçlanmıştı. Adalıların bu tavrından sonra herhalde uzun süre böyle bir şeye kalkışamazlardı.

Ne var ki Mor Su'da dalgın dalgın otururken bulduğumuz Yazar bu düşüncemize katılmıyordu. Lara'nın hazırladığı bildiriyi okudu, başını salladı, beğendiğini belirtti ama bu kadar iyimser olmak için bir sebep göremediğini söylemekten de geri durmadı.

Başkan, böyle bir-iki denemeyle pes edecek bir adam değildi. Ona göre anavatanda neler olduysa, burada da küçük bir modeli tekrarlanıyordu. Başkan, emekliliğinde kendisine yeni bir minyatür ülke bulmuştu ve çok oynayacaktı bunun üstünde. Bütün deneyimini konuşturacak, bütün kirli taktiklerini uygulayacaktı.

"Ama halk…" diyecek oldum.

"Halk dediğin değişken bir şeydir," dedi. "Bugün böyle davranır, yarın tam tersini yapar. Teşvik ve tehdide bağlı…"

Tam o sırada aklıma gelen parlak bir fikirle heyecanlandım:

"Bakın," dedim, "yarın fıstık toplama işine başlayalım. Adalıların hepsi kendini fıstık toplama işine versin. Yine her yılki şenliklerimizi yapalım. Fıstıkları çuvallara doldurunca yine her zamanki toplu akşam yemeğimizi yiyelim; gitar ve flütle dans havaları çalsın arkadaşlarımız, dans edelim, kısacası eski hayatımıza geri dönelim. Böyle bir heyecan ortamında Başkan da unutulur gider, onun lanet olası seferberliği de. Fıstık ağacının tepesindeki insanlara, gelin martı öldürelim diyecek hali yok ya!"

Bu söz çok hoşuma gittiği için yüksek sesle güldüm ama sadece benim sesim duyuldu. Yazar ve Lara bu coşkuma katılmadılar. Kaygılı görünüyorlardı.

Lara, "Bilmiyorum, içimde korkunç önseziler var ama yine de bir deneyelim," dedi.

Yazar da katıldı ona. "Mücadeleyi elden bırakacak değiliz!" dedi. "Elbette deneyeceğiz ama unutma bu iş hiç de kolay olmayacak."

Sonradan Yazar'ın bu sözünü çok düşündüm. İnsanın, başına neler geleceğini bile bile kendini feda etmesi, kadere teslim olmak gibi bir şeydi herhalde. Bir kere Platon'da bilgeler üstüne bir cümle okumuştum. Galiba bir bilgenin, halkı yağmur gelecek diye uyardığını ama kendisini dinlemedikleri zaman o ahmaklarla birlikte ıslanmak zorunda olmadığını, evine girip rahatça oturabileceğini yazıyordu.

Öğleden sonra gidebildiğimiz kadar çok eve uğradık, komşularımızı ertesi gün hep birlikte fıstık toplamaya davet ettik. Belki bu iş için bir-iki hafta erkendi ama artık fıstıklar olgunlaşmıştı, toplanmalarında bir sakınca yoktu.

Bütün gün Başkan ve adamlarından hiçbir ses çıkmadı, ortalıkta görünmediler. Sanki ada eski sakin günlerine geri dönmüştü ve her yıl yapılan fıstık toplama şölenine hazırlanıyordu.

O akşam bakkalın oğlu evlerimize birer bildiri dağıttı. Daha kâğıdı görür görmez bir aksilik olduğunu anladık. Bildiri, adanın mülkiyetinin kime ait olduğunu bir kez daha vurguluyor, adadaki fıstık ağaçlarının da bu mülke dahil olduğunu, dolayısıyla çamlardan tek bir fıstık bile toplanırsa bunun hırsızlık kapsamına gireceğini açık bir dille belirtiyordu. Bildiriye bir de tapunun fotokopisi eklenmişti.

'Bildiriye karşı bildiri!' diye düşündüğümü hatırlıyorum, 'Puşkin'e karşı tapu!'

O sırada bahçede akşam yemeği yiyorduk, Yazar da bizdeydi. İlk şaşkınlığı üstümüzden attıktan sonra ne yapacağımızı düşündük. Yazar, planlarımızda bir değişiklik yapmamızı ve ertesi sabah kararlaştırılan saatte fıstık toplamaya gitmemizi önerdi.

Öyle de yaptık. Ertesi gün erkenden fıstık çamlarının gökyüzüne ser çektiği o güzelim ormanın kuytuluklarına gittik. Elimizde ipler ve çuvallar vardı. Yirmi kişi kadardık. Adalıların tümü katılmıyordu bu işe ama yirmi kişi de yeterliydi. Bizimle birlikte olanları yüreklendirmek ve diğerlerini de özendirmek amacıyla, gitar ve flüt çalan arkadaşlarımızdan, fıstık toplamak yerine müzik yapmalarını rica ettik. Biz onların yerine de toplardık, ormanda neşe içinde fıstık toplama görüntüsünün işe yarayacağını düşünüyorduk. Arkadaşlarımız müzik aletlerini alıp geldiler, neşeli havalar çalmaya koyuldular. Flütün sesini duyan orman kuşları da şakımaya başladı. Buna karşılık martılar görünmüyordu ortalıkta. Uçmuyorlardı bile, derin bir sessizliğe gömülmüşlerdi.

Ağaçlardan kozalakları topluyor, çuvallara dolduruyorduk. Daha sonra bunları güneşte kurumaya bırakacak, aradan bir süre geçince de kozalakları kırarak içindeki lezzetli fıstıkları çıkarıp paketleyecektik. Her yıl yaptığımız bir işti bu. Toplama işi öğlene kadar sürüp gitti. Epeyce kozalak topladık, güneş tam tepedeyken mola verdik. Yanımızda getirdiğimiz sandviçleri yemeye koyulduk.

Tam bu sırada Başkan'ın adamlarının fıstık çamı ormanına geldiğini gördük. Gelip yanı başımızda durdular.

"Kendinize ait olmayan bir mülkte fıstık topluyorsunuz. Bu yasadışı bir durumdur. Derhal dağılın!" dediler.

Güneş gözlükleri sert bakışlarını gizliyordu ama seslerinin tınısı hepimizi tehdit eden sert bir tondaydı.

"Biz yıllardan beri bu işi yaparız. Burası hepimizin!" dedik.

"Tapu öyle söylemiyor ama," dediler. "Derhal dağılın!"

"Ada sahibi söylemeden gitmeyiz."

"Biz zaten ada sahibinin talimatıyla buradayız."

"Buna yetkiniz yok!"

"Var, biz devletin güvenlik birimlerine bağlıyız ve bu ada da ülkemizin bir parçası. Burada yasanın uygulanmasından biz sorumluyuz. Derhal dağılın, yoksa..."

"Yoksa ne?"

Adamlar bu noktada silahlarını çıkardılar ve "Bu emre karşı geleni tutuklama yetkimiz var," dediler.

Yazar acı acı güldü: "Bu adada hapishane bile yok!"

"Hele bir karşı koymayı deneyin, var mı yok mu görürsünüz."

İşler iyice çığırından çıkmıştı artık. Fıstık toplamayı bırakmaktan başka çaremiz yoktu.

Çaresiz bir durumda, topladığımız fıstıkları da orada bırakarak ayrıldık. Dönüş yolunda hiç konuşmadık, doğruca evlerimizin yolunu tuttuk. Başkan kazanmıştı. Adalının tek gelir kaynağı olan fıstıklardan hiç kimse pay alamayacaktı. Üstüne üstlük adamlar o kadar kararlıydı ki, sonunda evlerimiz bile elimizden gidebilirdi.

Bir tarafta gelirsiz kalma ve evlerimizi kaybetme korkusu, öteki tarafta turizm cennetine dönüşecek bir adada kazanılacak muazzam servetlerin hayali vardı. Adaya sıkıntılı bir sessizlik çökmüştü. Lara'nın ağzını bıçaklar açmıyordu. Kötülüğün her yerde galip geldiği ve iyiliği ezdiği yolundaki inancı bir kez daha doğrulanmış durumdaydı.

Noter bey ve bazı arkadaşlarımız son bir çare olarak 1 Numara'yı ziyaret etmeyi denemişler. Onunla olan eski arkadaşlıklarına güvenerek, Başkan'a uymamasını, adalı arkadaşlarını böyle incitmemesini rica etmeye gitmişler. Bizim sonradan haberimiz oldu.

Anlattıklarına göre 1 Numara onları iyi karşılamış, önce ağzında bir şeyler gevelemiş ama çok ısrar edilince, "İnanın ki benim elimden de bir şey gelmiyor!" demiş. "Adanın tapusunda, yasalarla çelişen bazı durumlar oluşmuş. Eğer Başkan'ın dediklerini dinlemezsem tapu elimden gidebilirmiş. Bu unutulmuş adanın veraset ve emlak vergileri de zamanında ödenmemiş. Bunca yıl biriken faizleriyle birlikte ödenmesi mümkün olmayan miktarlara yükselmiş. Kısacası Başkan'a itiraz ettiğim anda, ben dahil hepimizin bu adayı terk etmesi gerekecek. Ada devlete geçecek. Kusura bakmayın dostlarım, onun dediklerini yapmaktan başka çaremiz yok."

Sonra da Başkan'ı savunmaya girişmiş: "Hem adam koskoca devlet başkanı! Elbette ki her şeyi bizden daha iyi biliyor. Gelin bir tek vahşi martılar yüzünden Başkan'ımızla kavgalı duruma düşmeyelim. Onun talimatlarına uyarsak hiçbirimizin burnu kanamaz, gül gibi geçinip gideriz. İşin sonunda müthiş bir zenginlik de var."

Bizimkiler, 1 Numara'nın evinden süngüleri düşmüş, hayalleri sönmüş bir durumda ayrılmışlar. Bu görüşmeyi bizlere aktarırken de son derece üzgün bir ses tonuyla, "Başkan'a gücümüz yetmez! İyisi mi emirlerine uyalım," dediler.

İçimiz isyanla doldu, Lara'nın gözlerinden yine yaş geldi, Yazar yerdeki taşları tekmeledi ama acı gerçek buydu; çaresizdik.

O akşam bir bildiri daha geldi evlerimize. Hepimiz, ertesi sabah 8'de martılara karşı savaşmak üzere meydanda toplanmaya çağrılıyorduk. O sakin adamızda bir gün bir seferberlik emri alacağımız hiç aklımıza gelmezdi ama bu da olmuştu işte.

Bildiri ayrıca, bizlere silah dağıtılacağını belirtiyor, kadın erkek hepimizin pantolon ve pabuç giymesi talimatını da içeriyordu. Uzun süre evlere dönmeyeceğimiz için yanımıza su ve fazla olmamak şartıyla bir miktar yiyecek alabilirdik. Şapka ve güneş gözlüğü takılması da tavsiye ediliyordu.

Gece yatakta Lara sessizce ağladı, gözyaşları yine yanağımı ıslattı. Sonra son derece umutsuz bir ses tonuyla adayı terk etmemizi önerdi. "Gidelim buradan!" dedi. "Artık burası ada değil, bir toplama kampı!"

"Nereye gidebiliriz ki!" dedim. "Artık her yer kamp. Hem burada martı öldürülüyorsa, orada da insan öldürülüyor. Geldiğimiz şehirde bizi daha iyi şartların beklediğini mi sanıyorsun!"

Lara cevap vermedi, omuzlarının sarsılmaya devam ettiğini gördüm. İçim parçalandı ama elimden ne gelirdi ki!

Ne garip! Mücadele martılarla başlamıştı ama sanki giderek kişiselleşiyor ve biz insanlar arasındaki bir kavgaya dönüşüyordu. Ne kadar acı olursa olsun şunu itiraf etmeliyim ki, bu kavga adaya bir canlılık getirmişti. Mücadele heyecanı belki de karmaşık ruhumuzun çoktandır aradığı bir şeydi. Bunu Lara'nın öfkeden kızaran yüzünden, pembeleşen elmacık kemiklerinden, bazen de Yazar'ın bakışlarındaki ölümcül hiddetten anlayabiliyordum.

İnsanlar arasında bunlar olup biterken martılar ne âlemdeydi, ne yapıyor, yaralarını nasıl sarıyordu, bilemiyorduk. Çünkü hem onları gözlemeye vaktimiz olmamıştı hem de zaten vakur ve ifadesiz duruşlarından bir şey anlamak mümkün değildi.

Bu olaylar olmadan önce de zaman zaman düşünür, kendimi bir martı yerine koyarak adayı onların gözüyle seyretmek isterdim. Acaba gökyüzünden baktıkları zaman, aşağıda yürüyen, konuşan, yemek yiyen insanları nasıl görüyorlardı? Bizim hakkımızdaki fikirleri neydi?

Biz insanlar evren hakkında düşünürüz, yargılara varırız ama evrenin bizim hakkımızda ne düşündüğünü hiç merak etmeyiz.

Bütün bu düşüncelerin bize bir faydası yoktu artık. Çünkü sabah olmuş, güneş adayı ışığıyla yıkamaya, deniz yüzeyini ayna gibi pırıl pırıl parlatmaya başlamıştı. Yapraklar gece oluşan çiyle daha da yeşil görünüyordu. Sabah sisi yavaş yavaş dağılırken, merak içinde uzaktan iskeleyi izlemeye koyulduk. Önce Başkan'ın botta yaşayan adamları çıktı meydana, sonra 1 Numara geldi. Sonra da bazı komşularımız teker teker sökün etti. Başkan henüz ortalarda görünmüyordu. Herhalde onu kalabalık toplandıktan sonra çağıracaklardı. Belki de devletin kuralları böyleydi, ne bilelim!

Adalılardan on sekiz kişi saydık, daha sonra kimse gelmedi. Zaten gelenler de tedirgin tedirgin çevreyi süzüyor, bir fırsat çıksa da oradan tüysek der gibi bakınıyordu.

Başkan geldi. Onlara bir nutuk çektiğini gördük. Adamları herkese silah dağıttı. Sonra yürümeye başladılar. Siyah gözlüklü adamlar önden gidiyordu. Başkan onların hemen arkasındaydı. Adalılar ise yılgın bir müfreze gibi izliyordu onları. Belli bir mesafeden biz de peşlerine düştük.

Tam üstümüzde uçan iki martıya bakıyordum ki, Yazar'ın sesini duydum. Tepeleri tıraşlanmış ağaçlık yolda müfrezenin önüne çıkmış, "Durun!" diye haykırıyordu. "Durun! Buradan bir adım öteye gitmenize izin vermiyorum."

Başkan, bu akıl almaz cüret karşısında şaşırmış bir halde "Sen de kim oluyorsun?" diye sordu.

"Bir adalı olarak bu katliama karşı çıkıyorum."

"Adamlarım canını yakmadan çekil kenara!"

"Çekilmiyorum, martıları katletmenize izin vermeyeceğim."

"Sana ne martılardan be adam? Bak adanın sahibi bizimle."

"Bu adanın asıl sahibi martılardır. Bizden binlerce yıl önce gelmişler buraya!"

"Ama onlar vahşi. Hiç vahşiden ada sahibi olur mu?"

"Onlar vahşi de siz medeni misiniz!"

"Elbette. Bir mülke medeniyet sahip olur, vahşiler orada kaç bin yıldır yaşarlarsa yaşasınlar, sahip sayılmazlar."

"Martılar bu adanın sahibidir!"

"Hayır efendim. Martılar bu adanın düşmanıdır. Çekin şu salağı yolumun üstünden."

Başkan'ın bu sinirli emri üzerine, zaten kendilerini zor tutan iki adamın Yazar'a doğru atıldığını ve başına bir dipçik indirerek onu yolun kenarına sürüklediğini gördük. Yazar kendinden geçmiş olmalıydı, çünkü hiç kıpırdamıyordu. Ne yapabileceğimi bilemiyordum, heyecandan dilimi ısırmaya başladım. Bir yandan da öne atılıp koşmak isteyen Lara'yı sıkı sıkı tutuyor, böyle bir çılgınlık yapmasını engellemeye çalışıyordum. Eğer bırakırsam, onun da başına bir dipçik yemesi işten değildi.

Sonra Başkan'ın, adamlarına, "Bu bozguncu serseriyi bir yere kapatın!" dediğini duyduk. Yazar'ı iki kolundan tutarak sürüklediler. Başkan ve geri kalanlar yollarına devam ettiler.

Biz de arkalarından gittik ve bir gün önce gördüğümüz katliamın daha büyüğüne tanık olma bahtsızlığına uğradık. Martılar yine çığlık çığlığa uçuyorlardı. Yumurtalarını bırakıp bir an havalandıktan sonra içgüdüleriyle geri dönüyor ve kurşunu yiyerek kızıl kana boyanıyorlardı. Geride uçuşan tüyler bırakarak, iri ve patlak kırmızı toplar gibi denize düşüyorlardı.

Yavrularını koruma çabaları, onları öldürenlerin eylemini daha da canavarca kılıyor, insanın gözünden yaş getiriyordu. Adalıların biraz daha temkinli oldukları, yaptıkları işten zevk almadıkları görülüyordu. Çoğu karavana atıyordu. Ama Başkan ve adamları, vurulan martıları birbirlerine göstererek durmadan ateş ediyordu.

Böylece kumsala kadar ilerlediler. Sonra bazı yumurtaları ökçelerinin altında ezmeye başladılar. Bulunduğumuz yerden göremiyorduk ama yumurtaların içindeki yavruların topuklar altında parçalanışı korkunç olmalıydı. Bu durum martıları çıldırttı; sahildekilere hücum etmeye, onların başlarına doğru pike yapmaya başladılar ama silahlara karşı yapabilecekleri hiçbir şey yoktu. Adamlar öldürmeye, martılar ölmeye devam etti.

Denizin yüzünde bir martı yığını oluştu. Ama rüyamdaki gibi, mavi denizin üstüne yığılan bir beyazlık değildi bu görüntü. Martılar, kızıl bir denizin yumuşak dalgaları üzerinde kırık boyunları ve parçalanmış kanatlarıyla sallanıp duruyorlardı.

Yer gök martı çığlığına kesmişti. Her zamanki haykırışlarına benzemiyordu bunlar. Adada yıllarca yaşadığımız için alışık olduğumuz o martı sesi değildi. Böyle bir çığlığı, böyle yürek paralayan bir dehşet anlatımını ilk kez duyuyorduk. Lara yanımda sarsıla sarsıla ağlıyor, adamlara beddualar yağdırıyordu.

Denizin dalgalı olduğu günlerde kıyıya oturur, onunla birlikte yavru martıların salınışını seyretmeye doyamazdık. O bebek martıların, kabaran dalgalara binip bir beşikte sallanır gibi kendilerini bırakmalarına bayılırdık. Bütün canlıların yavrularında görülen o acemi, paytak, kırılgan duruş yüreğimizi şefkatle doldururdu.

Bir ara kıyıda gözüme bakkalın oğlu ilişti. Diğer gruptan epey uzakta, tek başına yere çömeliyor ve kalkıyordu. Ne yaptığını tam olarak göremiyordum ama onun da yumurtaları kırdığını düşündüm. Zihinsel özürlü bazı kişilerde görülen şiddet eğiliminin bir belirtisi miydi bu da acaba? Belki ne yaptığının farkında olmadan herkese uyuyor ve civcivleri eziyordu.

Bir süre sonra martıların adadan uzaklaştıklarını fark ederek şaşırdım. Sanki toplu bir karara varmışlar ya da emir almışlar gibi birden yön değiştirdiler. Yumurtalarına hamle yapmaktan vazgeçip, adanın batısına doğru uçtular. O taraf denize inen bir yarla kesildiği için de bir anda gözden kayboldular. Ortada hiç martı kalmadı, sesleri de duyulmaz oldu. Adaya tam bir sessizlik çöktü.

Başkan ve adamları hiç ummadıkları bu sessizlik karşısında silahlarını indirmekten başka çare bulamadılar ve başladılar vahşi bir sevinçle yumurtaların üstünde dolaşmaya. Ayaklarını kaldırıyor, sonra büyük bir hızla yumurtanın üstüne indiriyorlardı. Çatır çutur kırılıyordu yumurtalar, seslerini bulunduğumuz noktadan bile duyabiliyorduk. Adalılar bu işte de gönülsüz davranıyor, hiç yumurta ezmiyorlardı.

Artık orada yapacak işimiz kalmamıştı. Yazar'ı nereye kapattıklarını öğrenmek için ayrıldık. Yolda Lara'nın aklına bir şey geldi. Ağlamaktan çatlamış sesiyle, "Gidip bu adamın karısını görelim!" dedi. "Yapılan katliamı anlatalım. Ne de olsa bir kadın. Çocukları, torunları var. Eğer onun vicdanına seslenebilirsek, kocasını ikna etmek için adım atabilir."

Böyleydi işte Lara; hiç teslim olmuyor, en umutsuz anda bile yeni bir umut ışığı yakalamak için çırpınıyordu. Haklıydı da, çünkü onca katliama rağmen Başkan ve adamları henüz martıların pek azına zarar verebilmişti. Adanın kıyılarını kaplayan binlerce martının pek azına. Katliamı şu anda bile durdurabilsek çok büyük bir iş başarmış olurduk.

Bize kapıyı yine o sevimsiz kız torunu açtı. Ergenlik çağına giren bu uzun boylu kız, biz adalıları sonsuz bir küçümsemeyle süzüyor, yüz yüze geldiğimiz zamanlarda bile bu ifadeyi saklama gereği duymuyordu. O gün kapıyı açtığında da böyle oldu. İki kaşı havaya kalkarak, yapmacık bir tonlamayla, "Ne istemiştiniz?" diye sordu. Tebaasının yüzüne bakma alçakgönüllülüğünü gösteren kaknem bir prenses gibiydi. 'Lanet olsun sana!' dedim içimden, sonra ona Başkan'ın hanımını görmek istediğimizi söyledim.

Kız tam her aklımıza estiğinde o eve gelemeyeceğimizi söylemeye başlamıştı ki Lara'nın öfkeli bir kaplan gibi haykırdığını duydum. "Derhal haber ver, derhal! Çabuk ol diyorum sana!"

Bu çıkış kızı afallattı; bir an ne yapacağını bilemez bir halde durdu, yüzü buruştu, ağlamaklı oldu. Sonra içeriye gitti. İyi ki kapıyı yüzümüze çarpmadı diye düşündüm.

Bir süre sonra Başkan'ın tombul karısı gülücükler saçarak geldi. "Buyurun!" dedi. "İçeri gelin çocuklar! Bir fincan kahve ister misiniz?"

Bu iyi kabul karşısında şaşırdık, birbirimize baktık, sonra içeri girdik. Salonda bize gösterilen koltuklara oturduk. Bu ev, adadaki diğer evler gibi bir-iki basit eşyayla döşenmemiş, neredeyse bir şehir evi gibi "dekore" edilmişti. Çiçekli koltuklar, cilalı sehpalar, abajurlar, tablolar eve bambaşka bir hava vermişti.

Başkan'ın hanımının kahve önerisini geri çevirdikten sonra Lara, "Hanımefendi," dedi, "siz pelikanların yavrularını nasıl beslediğini biliyor musunuz?"

Afallayan kadın, "Hayır," dedi.

"Anne pelikan, yavrularının açlık çektiğini görürse, kendi etinden parça kopararak onları besler."

"Öyle mi, ne kadar ilginç, hiç duymamıştım. Çok etkilendim doğrusu."

"Hanımefendi, bir pelikan, etinden et kopararak yavrusunu beslerken öldürülse ne hissedersiniz?"

"Doğrusu yazık olur ama nereye varmak istediğinizi pek anladığımı söyleyemem. Bu ziyareti neye borçluyum genç hanım?"

"Aynen pelikanlar gibi, yavrusunu korumak isteyen martılar şu anda katlediliyor. Anne ve baba martılar kurşunla, yumurta içindeki yavrular da topuklarla ezilerek öldürülüyor. Ne olur hanımefendi, eşinizle konuşun, bu vahşete bir son vermesini söyleyin."

Lara bu sözleri söylerken Başkan'ın hanımının önce buz kesildiğini, sonra bakışlarını kaçırarak bizden uzaklaşmaya çalıştığını fark ettim. Pencereden dışarı, sabit bir noktaya bakıyordu; ince dudakları kısılmıştı.

"Siz de bir annesiniz, bir büyükannesiniz hanımefendi. Bu vahşeti görseniz dayanamazdınız. Zavallı martıların nasıl çığlık çığlığa yavrularını korumaya çalıştıklarını..."

Başkan'ın hanımı sert bir sesle, "Yeter!" diyerek ayağa kalktı. Bunun üzerine biz de kalkmak zorunda kaldık.

"Hayatım boyunca bu yalvarmaları kaç kere duyduğumu biliyor musunuz? Hem de kuşlarla değil, insanlarla ilgili olarak?"

Bir an sustu ama elbette böyle bir soruya cevap veremezdik. Sonra devam etti.

"Tutukluların eşleri, anneleri; idam mahkûmlarının aileleri; kayıp çocuklarını arayan kadınlar, yani bir sürü ricacı."

"Onlara ne derdiniz hanımefendi?"

"Hep aynı cevabı verirdim. Kocam bir devlet adamıdır ve ben onun işlerine hiçbir şekilde karışmam. Devlet için neyin gerekli olduğunu o bilir, evin içi ise bana ait."

"Ama o şimdi devlet yönetmiyor ki..." diyecek oldum.

Bunun üzerine kadın iyice sinirlendi: "Yönetimin büyüğü küçüğü olmaz!" dedi. "Eşim mademki bu adanın yöneticisi..."

Lara, "Ama siz de başkan yardımcısısınız!" dedi. "Sizin de yetkileriniz olmalı. Hem bazen kadınlar, erkeklerden daha iyi düşünür."

Belli ki bu son söz kadının gururunu okşamıştı. Yüzü biraz yumuşadı.

"Kızım," dedi, "yapabileceklerimin sınırı var. Bu yıllardır böyle. Sizi kırmak istemiyorum ama inanın bu işlere karışmam ben."

Anlaşılan bu kadından bir iş çıkmayacaktı. Çaresiz kapıya doğru yöneldik, yüzünde hain bir ifadeyle sokak kapısını açmış beklemekte olan kızın yanından geçip dışarı çıktık. Ama tam bu sırada Lara, Başkan'ın hanımına, "Hiç olmazsa," dedi, "bu sabah tutuklanan yazar arkadaşımızı serbest bıraktırmak için bize yardımcı olun. Bu kadarcık bir iyiliği komşularınızdan esirgemezsiniz umarım."

Sanırım komşuluk sözü kadın üzerinde etkili oldu. Ona, bizlerle yüz yüze bakacağını, hayatının geri kalanını birlikte geçireceği insanlara biraz daha iyi davranması gerektiğini hatırlattı.

Yüzünde eğreti bir gülümsemeyle, "Peki," dedi, "hiçbir şey için söz vermiyorum ama bir konuşayım bakalım."

Dışarı çıktığımız zaman Lara'ya, "Pelikanlar da nereden aklına geldi?" diye sordum.

"Bilmem, "dedi, "kadını etkilemek için söze nasıl başlayacağımı düşünürken birden pelikanları hatırladım."

"Gerçekten etiyle yavrusunu besliyor mu?"

"Bilmiyorum; birçok insan buna inanıyor. Eski çağlardan beri… çok yaygın. Hatta bu yüzden pelikanı, eti ve kanıyla insanoğlunun günahlarını bağışlatan İsa'ya benzetiyorlar."

"Ama kadını bu bile etkilemedi!"

"Evet, yürekleri nasır bağlamış bu insanların."

"Bence Başkan birilerini öldürmeden duramıyor. Yıllardır alışmış bu işe. Öldürmediği zaman kendisini yararsız hissediyor olmalı."

"Kimbilir. İnsan yüreği çok karanlık, çok karmaşık."

Böyle konuşarak iskeleye doğru yürürken, inceden bir müzik duymaya başladık. Birden sustuk. Hafif rüzgârın etkisiyle bize dalgalanarak gelen bu ses, kulağımızdan değil de sanki yüreğimizden geçerek beynimize ulaşıyordu. Ses hafifti ama kafamızın içinde şiddetle yankılanıyordu. Martı katliamı sırasında içimize çöken ruh hali geri geldi yine. Sanki yer gök martı çığlığına kesti.

Biraz daha yürüyünce, bir evin önünde toplanmış küçük bir kalabalık gördük. Gitar ve flüt çalmakta olan müzisyenleri dinliyorlardı.

Bu arkadaşlarımızın, enstrümanlarıyla, daha çok dinginliği ve mutluluğu, bazen de neşeyi somutlaştırmasına alışmıştık. Adadaki sakin günlerimizin içinde efkârlı ezgilerin dolaştığı da oluyordu. Ayrılıklar, hüzünler, acı anılar o kadar da yabancı değildi bize. Geçip giden yıllar, saçlara düşen aklar, anlatılamayan duygular... Ağıt bile çalınıyordu bazen. Ama çok seyrekti böyle hüzünlü parçalar. O akşam çalınan müzikteki çığlık ifadesini, yürek paralayan dehşet anlatımını ise ilk kez duyuyorduk.

Küçük kalabalığın toplandığı evin önünden geçip oradan uzaklaşmaya başlayınca, peşimizden gelen ezgilerin arasından Lara'nın sesini duymaya başladım. Sarsıla sarsıla ağlıyor, Başkan'a ve adamlarına beddualar yağdırıyordu.

Adanın güzelliği artık yüreğimi sızlatan bir endişe kaynağına dönüşmüştü. Kendimi çok çaresiz hissediyordum.

Bu arada sevgili yazar dostum, aklıma senin bütün bunları bize daha önce söylediğin, hepimizi uyardığın geldi ve içimde bir şeyin kırıldığını hissettim. Hem de bir daha onarılamayacak biçimde.

Biz insanlar, sınırlarımızı bilmeden kendi aklımızı beğeniyoruz, öğrenmiyoruz, akıllanmıyoruz. Her şeyi anladığımız zaman da genellikle iş işten geçmiş oluyor. O akşam seni nereye kapattıklarını soruşturur ve bulmaya çalışırken içime çöreklenen sıkıntı, uğursuz bir önsezi gibi, bu işin daha da kötüleşecek sonuçlarını sezdiriyordu.

Ne diyebilirim! Beni affet!

Yaşıyor musun, yosunlu bir denizin dibinde ya da toprağın iki metre altında mısın, bilmiyorum.

Yaşasan bile bu yazdıklarımı duymana olanak yok ama yine de sana bütün kalbimle seslenmek istiyorum sevgili dostum, ustam, arkadaşım.

Beni affet!

Beni affet!

Affet!

O hüzünlü günün ardından, bahçemize ve gecenin koru-
yuculuğuna sığınmış, ıtır kokuları arasında oturuyor,
kederler içinde şarabımızı yudumluyorduk. Ben durmadan,
'Bu adam niye bu kadar kötü?' diye düşünüyordum. 'Niye bu
kadar kötü?'

Bakkalın arkasındaki odunluğa kilitlendikten sonra Baş-
kan'ın hanımının çabasıyla öğleden sonra salıverilen Yazar da
bizimleydi. Adanın ilk tutuklusu olarak kayda geçme şerefine
nail olmuştu. Geçmişini anlatmamasına rağmen daha önce
de başından buna benzer olayların geçtiğini tahmin ediyor-
duk. "Burada bile kendimi tutuklatmayı başardım," diyerek
acı acı gülümsüyordu. Dipçik yiyen başı fena halde zonkluyor
olmalıydı ki gelir gelmez bir ağrıkesici istemişti.

Lara, az önce benim aklımdan geçen soruyu, sanki kendi
kendine konuşur gibi sordu. Son zamanlarda böyle rastlantı-
lar çok sık oluyordu. Birlikte yaşamanın getirdiği ilginç bir te-
lepati oluşmuştu aramızda herhalde.

Bir süre sustuktan sonra, tekrar mırıldandı:

"Bu adam niye bu kadar kötü?"

Hiçbirimiz ses çıkarmadık. Gece sessizdi, martı çığlıkları
duyulmuyordu, adada çıt çıkmıyordu. Acaba Başkan planın-

da başarılı olmuş ve bütün martıları adadan kovmuş muydu? Niye o gün öğleden sonra ya da akşamüstü hiç uçan bir martı görmemiştik? Nereye gitmişlerdi? Daha önce bu adada martı görmeden ve seslerini duymadan bir tek gün bile geçirmemiştik. Bu yüzden içine gömüldüğümüz sessizlik korkutucu geliyordu. Sanki her zamanki adamızda değil de yabancı bir diyardaydık.

Yazar, şarabından bir yudum daha aldı ve sessizliği bozdu: "Bu adam fena halde korkuyor, işte neden kötü olduğunun açıklaması bu: İçindeki büyük korku! İşlediği cinayetler ömür boyu izleyecek onu, üzerine bir lanet gibi çökecek. Kurtulmak için geldiği bu uzak adada bile."

Şiir meraklısı Lara, "Ama tavşan korktuğu için kaçmaz, kaçtığı için korkar!" dedi.

Yazar ve Lara kendilerini iyice bu tartışmaya kaptırmış görünüyorlardı. Ben de en çok sevdiğim bu iki kişinin, insanoğlundaki şiddet eğilimini hiçbir zaman anlayamayacaklarını çünkü bunu yüreklerinde hissedemeyeceklerini düşünüyordum. Bana göre sorun basitti: Bu dünyada iyiler ve kötüler vardı. Kimin, neye göre iyi ya da kötü olduğunu bilmiyordum ama durum açıktı işte. Arada bir lafa girip bu düşüncemi dile getirmeye çalıştım ama ikisi de bana fazla aldırmadan konuşmalarını sürdürdü, benim sözlerim söndü gitti.

Yazar bize Başkan hakkında bildiklerini anlattı. O konuşurken ben bir ona, bir de ne düşündüğünü anlamak için Lara'nın solgun yüzüne bakıyordum. Adam yoksul bir ailede büyümüştü, babası din görevlisiydi. Parası olmayan halk çocuklarının çoğu gibi ücretsiz askeri okula yazdırılmıştı. Yazar'a göre burada beyni yıkanmış, vatanımızın iç ve dış düşmanlarla çevrili olduğu ve koruma görevinin sadece onlara verildiği öğretilmişi. Her yerde vatan haini aramaya başlıyordu bunlar. Sonra okulu bitirmiş, evlenmiş, çocuk sahibi olmuş, küçük bir gelirle ülkenin zor bölgelerinde görev yapmıştı. Ama yüksek rütbelere geldiğinde talihi bir ihtilalle parlamış, devlet başkanlığına kadar yükselmişti.

"Ülkenin bütün dengelerinin bozulması da tam bu döneme rastlıyor!"

Yazar bu sözleri başıyla onaylarken bana da Lara'nın bilgisine ve zekâsına bir kez daha hayran olmak düştü.

"Evet, ülke yönetmeyi siyasi, etnik ve dini grupları birbirine düşürmek olarak anlayan bir kafası vardı. Bunu yüksek siyaset olarak görüyordu."

Doğrusu ben bunları o kadar da fazla bilmiyordum. Ülkede yaşadığım sıralarda siyasetle ilgilendiğim söylenemezdi. Darbeyi, protesto gösterilerini, karışıklıkları, tutuklamaları, başkentin sokaklarında dolaşan askeri kamyonları falan biliyordum ama işin boyutu ya da nedenleri hakkında bir fikrim yoktu. Radyolardan televizyonlardan okunan resmi bildiriler hepimizi korkutmuş, büyük tehlikelerle karşı karşıya olduğumuza inandırmıştı. Şimdi söylemeye utanıyorum ama tutuklamalar, işkence ve ölüm iddiaları, bize bir parça, "Belki de hak edenlere yapılıyor!" duygusu veriyordu.

Yazar'a çoktan beri merak ettiğim soruyu sordum: "Bu adamın döneminde sen de tutuklandın mı?"

Yüzü gölgelendi, sesi boğuklaştı, ağzının içinden, "O başka mesele!" diye bir şeyler geveledi.

Lara bana susmam için kaş göz işareti yaptı, sustum. Yazar'ı bir türlü geçmişi hakkında konuşturmayı başaramıyorduk. Kişiliğinin bir noktasına, kimsenin aşamadığı bir set çekmişti. Oraya kadar gelip duvara dayanıyordunuz.

Konuşma sürüp giderken, benim kafamın Yazar ya da Lara tarzında çalışmadığını daha çok fark ediyordum. Daha çok insanın iyiliği ve kötülüğü üzerinde duruyor, tartışmayı buraya çekmeye çalışıyordum. Yıllar önce okuduğum bir kitap geliyordu sürekli aklıma.

"Hepimiz birer timsahız aslında!" dedim.

Hayretle yüzüme baktılar. "Carl Sagan," diye söze girdim. "R faktörü diye bir şeye inanıyordu. R harfi 'reptile'dan, yani sürüngen kelimesinden geliyor. İnsanoğlu sudan karaya çıktığı için, beyin kökümüzde hâlâ sürüngen şiddetinin izleri bulunduğunu, bölgemizi korumak için şiddet kullanmaya eğilimli olduğumuzu söylüyor. Yani hepimiz birer timsahız."

Neyse ki sonunda dikkatlerini bu noktaya çekmeyi başarmıştım. Çünkü Yazar da insanoğlundaki iyilik ve kötülük konusuna girdi. Jean Jacques Rousseau'nun Emil'inden, Freud'un insandaki yıkıcı eğilimler üzerine yazdığı makalelerden söz etti.

Bize uzun uzun "doğa ya da eğitim" konusunu anlattı. İnsanoğlu doğuştan mı kötüydü yoksa kötülük öğretiliyor muydu?

"Bunların hepsi bireyci teoriler!" dedi sonra. "Bence durumu açıklamaya yetmiyor."

Bir süre adadaki komşularımızdan konuştuk. Çelişik duygular içindeydik doğrusu. Komşularımızın az da olsa bir bölümü Başkan'ın tehditlerine dayanamayarak onun yanında yer almıştı ama bu işe gönülsüzce katıldıkları belliydi. Martılara ateş etmemişler, yavruları öldürmemişler, kayalıklardaki yumurtaları kırmamışlar, sadece göstermelik olarak orada bulunmuşlardı. Ayrıca adalıların çoğu da tehditlere kulak asmayarak, bu katliama katılmamıştı.

O akşamüstü duyduğum ilginç bir şeyi daha aktardım. Başkan, müzisyenlerimizi çağırtmış, onlardan martılara karşı mücadeleyi destekleyen, halkı coşturan ezgiler çalmalarını istemişti. Ama hiçbiri kabul etmemişti bu saçma sapan öneriyi. Müzisyen arkadaşlarımız sanki doğanın bir parçasıymışçasına, öyle doğal, öyle kendiliğinden müzik yaparlardı ki çoğu zaman, bunun müzik olduğunu bile unutup adanın doğal seslerinden biri sanırdınız. Hayatımızın bir parçasıydı bu müzik. Bazı akşamlar duyulan gitar, flüt sesleri, ada yaratıldığından beri orada yankılanıyormuş gibiydi.

Sessiz adadaki bu gece sohbeti sürüp giderken parfümlü melisalar iç bayıltıcı usarelerini püskürtmeye devam ediyor, ıtırlar karanlıkta iyice ağırlaşan kokularını yayıyor, oturduğumuz yeri büyülü bir bahçeye dönüştürüyorlardı.

Tartışma sırasında bir an bile unutmadığım, hiç aklımdan çıkmayan şey ise Lara'ya duyduğum yürek paralayıcı aşktı. Onu öylesine seviyordum ki, bu aşktan içim sızlıyordu.

O sırada gerçekten de sızlıyordu yüreğim. Sanki ne kadar ciddi ve ağır olursa olsun konuştuğumuz her şey önemsizdi; onun yüzüne bakmak ve sesini duymak için yaşadığımı hissediyordum. Güzel miydi? Evet güzel olmasına güzeldi ama bu o kadar önemsiz bir ayrıntıydı ki benim için. Başına bir şey gelse, yüzü değişse, hatta çirkinleşse bile ona olan duygularım değişmezdi. Güzellikten çok daha farklı bir şeydi beni ona vurgun kılan. Anlatılmaz, dile söze gelmez bir şey; bir hava, bir tavır, sesindeki ince bir kırılma, dudaklarının kıyısındaki hafif bir gölgelenme, gülerken çenesinde oluşan küçük çukur... Bunların hepsi, hepsi çok güzel şeylerdi. Daha da önemlisi, âdeta ruh ikiziydik. Ömür boyu içinden çıkılmayan, her anın lezzetiyle dolup taşan bir sığınaktı, birbirimizde bulduğumuz.

Bu uzun sohbet, Lara'nın Uzakdoğu inançları konusunda söyledikleriyle bitti.

İnsanoğlunun yaşadığı her kötü deneyim çakralarını kapatıyor, bu da negatif bir enerji yayılmasına sebep oluyordu. Kötülüğün sebebi buydu işte.

Yazar yüzünü buruşturarak, bizim bu aşırı bireyci yorumlarımızdan pek de memnun kalmadığını gösterdi.

"Demek ki bu adamın çakrası makrası kalmamış," dedi. "Hepsi tıkanmış."

Sonra bize ders verir gibi, "Bakın," dedi, "sizin anlamadığınız esas sorun şu: Bu adamların korktuğu tek şey soru. Soru sorulmasından ödleri kopuyor. Sorgulayanlar ise buna mecbur olduklarını hissederek, kendilerini yok etme pahasına direnişlerini sürdürüyorlar. İsa gibi, Spartaküs gibi, tarihteki birçok örnek gibi. Onun için bu işi tek tek insanların iyiliğine kötülüğüne bağlamayın."

"İyi de martıları niye öldürüyor o zaman, onların sistemi falan sorguladığı yok ki!"

Yazar bir an durdu, şaşaladı, ne cevap vereceğini bilemedi. Yarı şaka yarı ciddi, "Belki de haklısınız. Öff uğraştırmayın beni!" dedi. Sonra mırıldanır gibi, "Zaten bir yerde kötülük varsa, oradaki herkes biraz suçludur," diyerek kalktı, sallanarak evine doğru gitti. Başını tutmasından hâlâ ağrısı olduğu anlaşılıyordu.

Hem başına yediği dipçik hem de odunlukta geçirdiği saatler ona korkunç şeyler hatırlatmış olmalıydı. Bu yüzden sinirlerine hâkim olamıyordu. Ses tonundan, bize bile biraz kızdığını hissediyorduk. Eskiden bana sadece edebiyat konusunda sinirlenirdi. Öykündüğümü yakaladıkça, "Senin adın Proust mu, senin adın Borges mi?" faslında. Ama şimdi bunları konuşacak halde değildik.

Yazar kalktıktan sonra, her zaman yaptığımız gibi konu hakkında konuşmayı sürdürdük. Beş-on dakika daha konuştuk, şaraplarımızı bitirdik.

Yatmadan önce Lara'ya bir yandan serçe ile avcı hikâyesini anlattım, bir yandan da bunun biraz önce niye aklıma gelmediğine hayıflanıp durdum. Çünkü Yazar da severdi böyle hikâyeleri. Çocukluğumda duyduğum bir masala göre zemheri soğuğunda, serçe ile yavrusu bir dala konmuş. Biraz sonra bıyıkları buz tutmuş ve gözleri soğuktan yaş içinde bir avcının yaklaştığını görmüşler. Serçe yavrusu, "Bak anne," demiş, "ne kadar merhametli bir adam, gözleri yaş içinde." Anne yavrusunu ses çıkarmaması için uyarmış, "Sen onun gözündeki yaşa değil, elindeki kana bak!" demiş.

Lara, hikâyemi çok beğendi. Biz hem serçe değildik hem de avcılarla nasıl başa çıkacağımızı biliyorduk. Baygın çiçek kokuları arasında yatağımıza gittiğimizde, Lara'yla yine yaralarımıza merhem süren, bizi iyileştiren bir sevişmeye daldık. Onun, nazlı bir prenses gibi beni narin vücuduna kabul edişi, içine alışı, çölde serap sandığın bir gölün gerçek olduğunu anlayarak onun serinliğine ve can kurtaran merhametine sığınmak gibi bir şeydi. Uzun, sessiz, şefkatli, dokunaklı ve ipeksi sevişmemizin sonunda uykuya dalmadan önce hissettiğim şeyi çok iyi biliyordum.

Minnet!

Ona karşı minnetle doluydum. Bazen sıcak gözyaşlarımı akıtacak kadar yoğun bir minnetle!

O gece sabaha doğru, ada tarihindeki ilk martı hücumu başladı. Evde bomba patladığını sanarak büyük bir panikle yataktan fırladığımızda henüz bunu bilmiyorduk. Uyku sersemi, sesin geldiği oturma odamıza doğru koştuk. Taze sabah serinliği yüzümüze çarptı, cam kırılmıştı. Işığı açınca odanın ortasında kanlar içinde bir martı gördük. Titriyor, can çekişiyordu; zaten çok geçmeden de öldü, kaskatı kesildi, başı yana düştü. Kanlar içindeki ölü martının görüntüsü korkunçtu. Denizdeki ölü martıları ya da daha önceleri sahilde ölmüş olanları görmüştük ama bu bambaşka bir şeydi. Çünkü evimizin içindeydi. Kanepenin hemen önünde yatmaktaydı.

Lara yanımda tir tir titriyordu. Şaşkınlığımızı biraz atlatır atlatmaz dışarıdan sesler ve çığlıklar geldiğini fark ettik. Camlar patlıyor, kiremitler kırılıyor, martı sürüleri çığlık çığlığa haykırıyordu.

Kırılmış camdan biraz başımı uzatmaya cesaret ettiğimde, dünyanın bütün martıları bizim adaya toplanmış gibi geldi. Havada uçmuyor da âdeta bir bütün olarak, oradan oraya akıyorlardı. Sabahın alacakaranlığı beyaza kesmişti. Çığlıkları neredeyse kulaklarımızı sağır ediyordu. Evlerden haykırışlar yükseldiğini duyduk. Bu arada bizim evin çatısından da sesler gelmeye başladı, sanki birisi dama çıkmış kiremitleri kırıyordu.

Sabah olduğunda, bunun da martı hücumunun bir parçası olduğunu anlayacaktık. Sahilden aldıkları büyük taşları yüksekten evlerin çatılarına bırakıyorlardı ve bu taşlar gittikçe hız kazanarak kurşun gibi düşüyordu kiremitlerin üzerine.

Martıların çok akıllı ve örgütlenebilen bir tür olduğunu okumuştuk ama bir kısmının kiremit kırma, bir kısmının insanlara saldırma işine ayrıldığını, bazı martıların ise birer kamikaze gibi intihar saldırısı yapma görevini üstlendiğini anlayınca gördüklerimize, duyduklarımıza inanamaz hale geldik.

Adalılara ve onların yaşadıkları evlere karşı düzenli, iyi planlanmış, akıl ve fedakârlık gerektiren bir saldırı yapıyorlardı. Bazı martılar çok yüksekten evlere doğru pike yapıyor, akıl almaz bir süratle camlara vuruyorlardı kendilerini. Bu çarpma bir bomba etkisi yaratıyordu, martı ölürken, çarptığı evlerde de camlar patlıyor, büyük bir panik ve korku baş gösteriyordu. Martı hücumu başladıktan sonra duyduğumuz silah sesleri de bir süre sonra kesilmişti.

Derken sabah oldu. Evden dışarı çıkmaya korkuyorduk ama sürekli olarak bu durumda kalamayacağımız için, Lara'yı evde kalmaya güç bela razı edip burnumu dışarı çıkarmaya yeltendim. Daha bahçe kapısına yeni gelmiştim ki başımın üstünde hışım gibi martılar belirdi. Kafama gaga darbeleri indirmeye başladılar. Ellerimle korunmaya çalışarak kendimi eve zor attım.

O gün dışarı çıkamadık, kimseyle de haberleşemedik. Ben arada sırada kuytu köşelerden başımı uzatıp neler olup bittiğini görmeye çalıştım. Martı hücumu aralıklarla devam etti. Kırılan camı, üstüne perde gererek örtmeye çalıştık, diğer camları da elimizden geldiği kadar kumaşlarla kaplayıp, dolapları dayayarak güvenli hale getirdik ve yatak odamıza kapandık.

Başımıza gelenler bizi o kadar şaşırtmıştı ki doğru dürüst düşünemiyorduk bile. Sadece bir şeyin farkındaydık, martılara kızmak aklımıza bile gelmiyordu. Buna karşılık bu dertleri başımıza açan Başkan'a duyduğumuz nefret artıyordu. Yazar'ı da merak ediyorduk ama ona ulaşma olanağımız yoktu. Martı hücumu altında ne yapıyor, ne düşünüyordu acaba?

O gün böyle geçti, martılar hiçbirimizin evden çıkmasına izin vermedi. Sanki bir hava hücumu düzenlenmişti de adanın üzerinde bombardıman uçakları dolaşıyordu.

Ertesi sabah, adaya müthiş bir sis çöktü. Dışarısı süt beyazdı, göz gözü görmüyor, ancak bazı karaltılar seçilebiliyordu. Adayı bir masal diyarına çeviren günlerden biriydi bu. Sis daha önce hiç bu kadar sevindirmemişti bizi.

Lara'yla birlikte ihtiyatı elden bırakmadan evden çıktık, sakına sakına yürümeye başladık. Ortalıkta martı görünmüyordu ama yine de belli olmazdı. Birdenbire tepemizde biterlerse yapabileceğimiz hiçbir şey yoktu. Önce noterin evine gittik; Yazar'ın, müzisyen arkadaşların ve bazı komşularımızın da orada olduğunu gördük. Onların camı da boydan boya kırılmıştı, ev savaştan çıkmış gibiydi.

Tahmin edeceğiniz gibi görüşmemizin uzunca bir bölümü Başkan'a verip veriştirmekle geçti. Gelişiyle ve aptal fikirleriyle adamızı mahvetmişti. Martıların bu işte hiçbir suçu yoktu. Şimdi ne yapacaktı acaba? En doğrusu adayı terk etmesi, pılısını pırtısını toplayıp o sevimsiz, çok bilmiş torunları ve kalpsiz karısıyla çekip gitmesiydi. O kadar kızdık, birbirimizi o kadar doldurduk ki gidip bunu yüzüne karşı söylemek için önüne geçilmez bir istek duymaya başladık. Yazar da aynı fikirdeydi, düşüncelerimizi Başkan'a o iletecekti. Kendiliğinden, sözcümüz olmuştu.

Hep birlikte evden çıktık, Başkan'ın evine yollandık. Sis o kadar yoğundu ki, gökyüzünün bütün bulutları adaya inmiş de yeryüzünde dolaşıyormuş gibi görünüyordu. Elimi salladığımda buharın uçuştuğunu görebiliyordum. Yolda birkaç komşumuz daha katıldı bize. Ada halkı sözleşmiş gibi birbirini buluyor ve toplanıyordu. Herkes Başkan'a karşı öfke içindeydi.

Başkan'ın evinin önüne geldiğimizde, verandada bekleyen silahlı adamlar gözümüze çarptı ilkin. Suratsız adamlar ellerinde tüfeklerle nöbet tutuyordu ama bizim öfkemiz o kadar tepemize çıkmıştı ki silah falan dinleyecek halimiz yoktu.

Başkan'ı görmek istediğimizi, hep beraber söyledik. "Çabuk haber verin, buraya gelsin!" Adamların çekingen davranmaları ve ağırdan almaları üzerine kararlılığımızı gösterdik. "Derhal!"

Biraz sonra Başkan verandada belirdi. Yüzü beyazlaşmış mıydı yoksa bana mı öyle geliyordu bilemiyorum ama epeyce şaşkın olduğu bellīydi.

"İşte," dedi, "martıların ne kadar tehlikeli yaratıklar olduğu ortaya çıktı, değil mi komşularım. Ben size bunu anlatmaya çalıştıkça siz görmezden geliyordunuz. Bu vahşi kuşları savunuyordunuz bana karşı. Söyleyin, bunların teröristten ne farkı var ha? Ne farkı var!"

Yazar, "Hiç utanmıyor musunuz?" dedi. "Bu sözleri söyleyecek cesareti nereden buluyorsunuz? Yaptığınızı görmüyor musunuz, adanın halini görmüyor musunuz, bizi ne hale getirdiğinizi görmüyor musunuz? Ha, ha, ha?"

Yazar kendinden geçmiş, bir sinir krizi eşiğinde "ha, ha, ha" diye söylenip duruyordu. Biz de ona destek veriyor, elimizi kızgın bir ifadeyle Başkan'a doğru sallıyorduk. Adamları ne yapacaklarını biraz şaşırmış gibiydi. Adaya geldiklerinden beri ilk kez tereddüt eder gibi bir halleri vardı.

O gün senin, Başkan'a kafa tutan ve neredeyse onu korkutmayı başaran halinle gurur duymuştum. Korkusuzca dikilmiştin önlerine, onlardan hesap soruyordun.

"Şimdi de beni mi suçluyorsunuz?" dedi Başkan ama sesi eskisi kadar güçlü çıkmıyordu. "Camları, kiremitleri ben mi kırdım. Evlerinize saldıran canlı bomba ben miydim? Sizi içeri ben mi hapsettim. İnsaf doğrusu, el insaf! Yüzsüzlüğün bu kadarına pes. Medeni insanlar olarak kafa kafaya verip bu beladan nasıl kurtulacağımızı düşüneceğimize birbirimizi suçluyoruz."

Yazar, "Kuşların yavrusunu öldürmek medeniyet değildir!" diye haykırdı. "Durup dururken onlara saldırıp yavrularını öldürüp yumurtalarını kırmak vahşetin en önde geleni."

Hepimiz, "Evet, evet!" diye bağırırken başlarımızın üzerinde hışım gibi belirdi martılar, üstümüze doğru pike yapıp gaga darbeleri vurmaya başladılar. Ellerimizle başımızı koruyarak kaçmaya çalıştığımız için ne olup bittiğini tam olarak göremedik. Martı çığlıkları, insan haykırışlarına karışmıştı, silah sesleri duyuluyordu. İster istemez en yakın korunaklı yer olan Başkan'ın evine doğru kaçtık. Adamlar, pencerenin kenarında siper almış, martılara durmadan ateş ediyordu. Birkaç martının düştüğünü gördük.

Başkan'la tartışırken sisin biraz dağıldığını, görüş mesafesinin arttığını fark edememiştik. Üstüne üstlük bir araya gelip bağırarak fazla dikkat çekici bir hedef oluşturmuştuk.

Herkes o kadar korkmuştu ki biraz önceki tartışma birden kesilivermişti. Önce bu beladan kurtulmak gerekiyordu, Kimin suçlu olduğu tartışması ertelenmişti artık.

Başkan, "Bir fikri olan var mı arkadaşlar!" dedi.

Bu geçici ateşkes ortamında, hepimizin sözcülüğünü üstlenmiş olan Yazar, "Yapacak çok fazla bir şey yok," dedi. "Karanlık çökünce fazla dikkat çekmeden evlerimize gidelim ve öfkelerinin geçmesini bekleyelim. Herhalde sonsuza kadar saldıracak değiller."

Başkan bizimle aynı fikirde değildi. Saldırıya daha şiddetli bir saldırıyla karşılık verilmesi gerektiğini savunuyordu. "Teröre taviz verilemeyeceği" fikrindeydi. Düşmana karşı yıldırıcı, moral bozucu, yok edici bir şiddet kullanılmalıydı. Bunun başka çaresi yoktu, yoksa her şey daha kötü olurdu. Bu saldırının cezasız kalması düşünülemezdi bile. Ne kadar ısrar ettik, ne kadar dil döktük anlatamam ama onu bu kanlı fikirden vazgeçirmeyi başaramadık.

Otoriter bir edayla hepimizi süzüyor ve böyle durumlarda kararlılık göstermek gerektiğini söylüyordu. Düşmana karşı zayıf duruma düşemezdik. Eğer evlerimizde güvenlik içinde oturmak istiyorsak bu savaşı göze almak zorundaydık.

"Benim yıllarca bu ülkenin başkomutanı olduğumu unuttunuz mu beyler?" diye sordu sonra. "Bırakın da bu işleri sizlerden daha iyi bileyim."

Lara, "Zaten başkomutanlık yaptığınız için her şey bu hale geldi ya!" dedi ama Başkan ona fazla aldırmadan savaş planlarını açıklamaya başladı.

Muharip öncü gücü —yani kendi adamları— gece karanlığından yararlanarak gizlice, kıyıyı gören bir sığınak yapacaktı. Basit bir şey olacaktı bu ama yine de atış timlerinin zarar görmesini önlemeye yetecekti. Geceleri bu sığınakta yer alan atış timleri, hava aydınlanınca ateş etmeye başlayacak ve martıları imha edecekti. Bu iş için gerekli cephane de gece taşınacaktı.

Acaba ciddi mi yoksa dalga mı geçiyor diye yüzüne baktık ve ne yazık ki son derece ciddi olduğunu gördük. İnce dudakları kısılmış, gözlerine "kararlı" bir bakış yerleşmişti.

İçimden kimbilir kaçıncı kez. 'Bu adam niye bu kadar kötü!' diye düşündüm. Eskiden beri insanları hayvanlara benzetme huyum vardır. Bence her insan bir hayvana benzer. Kiminin yüzü bir kuşu andırır, kimininki bir koyunu; bazı insanlar ata benzer, suratları aynen at gibi uzundur; bazıları kurt yüzüne sahiptir. İnsanların, benzedikleri hayvanların karakterini aldığını düşünürüm. Ne bileyim, belki de öyle geliyordur içlerinden, öyle hissediyorlardır. Bir koyuna, niye böyle uysal davranıyorsun ya da bir kurda, niye böyle yırtıcısın diye sorulur mu!

O anda Başkan'ın neye benzediğini buldum. Kısılmış ince dudakları yüzünün alt kısmında bir kesik gibi duruyor, kenarları biraz aşağı doğru çekiliyordu. Çıkık elmacık kemikleri ve gözlerindeki ifadesiz bakış tam bir köpekbalığını andırıyordu. Bunu niye daha önce görmediğime şaştım. 'Demek ki, onun da tabiatı bu,' diye düşündüm; 'köpekbalığı tabiatı.' Ona niye bu kadar zalim olduğunu sormak, köpekbalığına niye böyle yırtıcı dişlere sahip olduğunu sormak kadar anlamsızdı. Dünyayı böyle görüyor, böyle kavrıyordu. Bu düşüncemi en kısa zamanda Lara'ya ve Yazar'a anlatacak, böylece insanoğlundaki iyilik ve kötülük tartışmasına yeni bir boyut ekleyecektim ama o sırada bunun ne yeri ne de zamanıydı.

Hava kararınca Köpekbalığı'nı savaş oyunuyla baş başa bırakıp evimize döndük.

Martı salonda katılaşmış halde yatıyordu. Onu ne yapacağımı bilemiyordum. Martı gömülür müydü, yoksa çöpe mi atılırdı? Martıyı elime aldım. Lara, "Öf ne yapıyorsun?" dedi. "Ölü martıyı inceliyorum," dedim.

Yakından bakınca gagasının kırılmış olduğunu gördüm. Gaganın bir bölümü, incecik bir lifin ucunda sallanıyordu. Kırık boynu ve kırık gagasıyla çok zavallı göründüğünü düşündüm. Yaptığı iş, kendisini öldürmesine değmemişti. Alt tarafı bir cam kırılmıştı. Adada cam zor bulunsa bile vapurla getirtilir ve yerine takılabilirdi.

Bu zor ölüm pahasına asıl elde ettikleri, korkutmaydı, yüreklere dehşet salmaydı. Sadece bunun için de kendini öldürmeye değmezdi doğrusu. Çünkü korku duygusu geçiciydi. İnsan bir gün korkar, ertesi gün unutur, hayatın ayrıntılarına dalar ve kahkahalarla gülebilirdi.

Dalmış, elimdeki martıya bakarken aklıma bir şey geldi. Belki de intihar bombacısı olan martılar, yavruları ölenler arasından seçilmişti. Hatta belki de kendileri bu işe gönüllü olarak kalkışmışlardı. Onulmaz evlat acısından kurtulmanın bir yoluydu bu.

Her neyse, ölü bir martının çok da sempatik göründüğü söylenemezdi. Ya da ben artık öyle düşünüyor, martıları yeni bir gözle görüyordum. Zaten martılar yaşarken de pek cana yakın görünmezler. Soğuk, mesafeli bir duruşları vardır; size yaklaşmaz, elinizden yem yemezler. Bu yüzden insanlar bülbüller, kanaryalar, turnalar, Anka gibi hayali kuşlar, hatta kargalar ve leylekler üstüne bile türküler yakmıştır ama martılara türkü söyleyen hiç çıkmamıştır. Daha doğrusu, tek bir martı için değil, martıların deniz kenarında oluşturduğu toplu görüntüyü anlatan şarkılar yazmışlardır.

Yine de bütün bunlar onları öldürmenin, yavrularını yok etmenin sebebi olamazdı. Hatta o soğuk, kalpsiz görünüşlü yaratıkların, kendilerini feda edişlerinde insanın yüreğine dokunan bir şeyler vardı.

Ertesi gün yine evden çıkmadık. Bu kez martı hücumu olmadı, ortalık sakinleşmiş gibiydi, yine de ne olur ne olmaz deyip evde kaldık. İyi ki de öyle yapmışız, çünkü o gün akşamüstü bir felaket oldu.

Ortalığın sakin olmasına güvenen 4 numaradaki gitarist arkadaşımız, tepelerde gezintiye çıktığı sırada martıların hücumuna uğrayarak yardan aşağı düşmüş. Onu bulduklarında bir bacağı ve bir kolu kırılmış, şakağında kocaman bir yara açılmıştı. Günlerce ateşler içinde yattı, işin en kötüsü de çok uzun bir süre gitar çalamayacak olmasıydı. Bu küçük trajedi adalılarda büyük bir üzüntüye yol açtı. Bu martıların da işi çok abarttığını düşünenler çoğalmaya başladı aramızda.

Kimse pek gerekmedikçe gündüz gözü dışarı çıkmıyor, mecbur kalıp çıktıklarında da icabında kafalarına geçirecek birer tencere ya da tava alıyorlardı ellerine. İyice pimpirikli arkadaşlarımız, ne olur ne olmaz, birdenbire hücum edilir diye tencereleri başlarına geçirerek dolaşıyor, kafalarını arkaya doğru atarak yolu göz ucuyla görme eziyetine bile katlanıyorlardı.

Geceleri tak tuk inşaat sesleri duyuyorduk. Bir-iki gün sonra Başkan Köpekbalığı'nın savaş planları ortaya çıktı. Adamları martı kıyısını gören muhkem bir mevziye, ağaçlardan ve bazı büyük dolap parçalarından, ahşap kapılardan bir korugan inşa etmişlerdi. Öyle ki on kişi bu siperin içine girdiği zaman her tarafı kapalı dolapta iyice korunaklı durumda kendini güvenceye alabiliyor, bir yandan da dev dolabın önündeki yatay ve çok dar pencereden ateş edebiliyordu.

Başkan'ın adamları bu korugana kavuşunca, silahlarını bir kez daha martılar üzerine boşaltmakta gecikmediler. Bir sabah ada cayır cayır ateşlenen silahların sesleriyle çınlamaya başladı. Belli ki geceden korugana gizlice saklanmışlar, sabahın ilk ışıklarıyla birlikte de savaşı başlatmışlardı. Martılar yine kanlar içinde denize düşmeye başladı. Sonradan öğrendiğimize göre bu kez bazı adalılar da canı gönülden ateş ediyor ve atıcılıktaki hünerlerini gösteriyormuş. Bu katliam da akşama kadar sürdü, karanlık çökünce herkes evine gitti.

Olaylar artık çığırından çıktığı ve gerçek bir savaş halini aldığı için yapabileceğimiz pek bir şey kalmamıştı. Evde çaresizlik içinde oturuyor, komşularımızı martılara açılan savaştan vazgeçirmeye çalışıyorduk ama görüyorduk ki yavaş yavaş adalılar da martılardan nefret etmeye başlıyor.

Hayret edilecek bir şey ama ertesi gün hiçbir şey olmadı. Sabaha karşı endişe içinde bir martı hücumu bekleyen bizler, pencere başında öyle kalakaldık. Bir sessizlik vardı. Adaya yeni gelen biri, o güzelim ağaçları, yeşillikler arasında kaybolup gitmiş evleri ve zümrüt koylarıyla adayı yine bir yeryüzü cenneti, bir barış limanı sanabilirdi.

Ertesi gün de bir şey olmadı, daha ertesi gün ve ondan sonraki birkaç gün de. Belki de Başkan Köpekbalığı'nın yöntemleri başarılı olmuş ve martıları ürkütmüştü. Onun durmadan tekrar ettiği, şiddetin ancak daha büyük bir şiddetle önleneceği teorisi birçok yandaş bulmaya başlamıştı. Bu arada insanlar yavaş yavaş dışarı çıkıyor, günlük hayatın o sıkıcı ama tatlı ritmine kendilerini kaptırıp gidiyordu. Arada bir uzaktan göz attığımız kıyıda martılar sakin sakin yumurtalarını bekliyor, bazıları denize dalıp çıkarak avlanıyordu. Galiba savaş sona ermişti.

Bu sükûnetten yararlanarak vapura verdiğimiz mektupla yeni camlar sipariş ettik. Evlerimizi tamir ettik, akşamları yine taflan, ıtır, yasemin kokuları arasında şarap içmeye başladık. Gitarist arkadaşımızı sık sık ziyaret ettik, ona neşeli fıkralar anlatıp üzüntüsünü biraz hafifletmeye çalıştık. Başkan ve adamlarını da hiç görmedik.

Bu sakin günler böylece sürüp gitti, ta ki ada, martı hücumunda ilk şehidini verene kadar.

14 numaralı evde tek başına yaşayan, sakin, içine kapanık bir arkadaşımız vardı. Hiçbirimizle fazla ilişki kurmaz, her sabah erkenden sandalına atladığı gibi balığa çıkar, geceden serdiği ağları toplardı. Dudağından düşürmediği sigaranın arkadaşlığı ona yetiyordu anlaşılan.

Elli yaşlarında ama olduğundan yaşlı gösteren, herkesin sevip saydığı bir adamdı. Elinden çok güzel marangozluk işi gelir, beceremediğimiz tamirat işlerinde bize seve seve yardım ederdi. Daha önce bir marangoz atölyesi olduğunu ve çıkan yangında ailesini yitirdikten sonra gelip bu adaya yerleştiğini duyardık.

İşte bu arkadaşımız bir sabah erkenden sandalına atlayıp denize açıldığında martıların saldırısına uğramış. Ben görmedim ama olayı kıyıdan dehşet içinde seyredenlerin anlattığına göre yüzlerce martı, sandaldaki savunmasız adamın başına üşüşmüş, korkunç çığlıklar atarak adamı gagalamaya başlamış. Adamcağızın başının kan içinde kaldığı, kıyıdan bile görülebiliyormuş. Birkaç kişi eve koşup silah almış ve martılara ateş etmeye çalışmış ama sandalın içinde ayağa kalkarak başını iki eli arasına almaya çalışan adamcağız çırpınırken dengesini kaybedip suya düşmüş. Martı sürüleri adamı suda da rahat bırakmamış. Başını sudan çıkarmaya hamle ettiğinde, o korkunç, paralayıcı saldırılar devam etmiş. Adamın başının çevresinde kandan bir hale oluşmaya başlamış. Çaresiz bir biçimde havayı tutmak istiyor, batıp batıp çıkıyormuş, elleri bile kan içindeymiş.

İşte sevgili marangoz ağabeyimizi böyle kaybettik. Bir iki saat sonra, henüz açığa sürüklenmemiş olan cesedini sudan çıkarıp getirdiklerinde hepimizi müthiş bir üzüntü sardı. Martıların ne kadar vahşi olabileceğini yeni yeni kavrıyor gibiydik. Masum bir insana yaptıkları şey, içimizi nefretle dolduruyordu. Martılar Başkan'a ya da adamlarına zarar verse üzülmezdik herhalde ama bu iş, savaşı başlatanlar yerine, masumların can verdiği kanlı bir trajediye dönüşmüştü.

Marangozu ertesi gün akşam karanlık bastıktan sonra toprağa verdik. Daha önce doğal nedenlerle hayatını kaybeden ama memlekete nakledilmek istemeyen komşularımızın yanına gömdük onu. Bazı komşularımız bu hücumdan o kadar dehşete düşmüştü ki cenaze törenine başlarına geçirdikleri tencereler ve ellerinde silahlarla geldiler.

Garip marangozun korkunç kaderi hepimizi gözyaşlarına boğdu. Komşular, "Kahrolsun bu martılar, zavallı adamdan ne istediler!" diye fısıldaşıyordu. Başkan ve adamları cenaze töreni boyunca konuşmadı, sessizce olayları izledi. Bizim ağzımızı bıçaklar açmıyordu çünkü ne diyeceğimizi bilemiyorduk. Havadaki yas ağırlığının ve martılara duyulan öldürücü nefretin farkındaydık. Bu durumda hiç kimse çıkıp da, "Ama martılara hücumu biz başlattık. Onlar da karşılık verdiler, suçlu olan biziz!" diyemezdi.

Savaşı kimin başlattığı, kimin haklı olduğu gibi mantık yürütmeler, boğucu hale gelen korku ve nefret ikilisi karşısında bütün anlamını yitirmişti. Herkes intikam istiyordu. Korku nefreti, nefret korkuyu besliyordu. Ben de şaşkındım doğrusu, ne diyeceğimi bilemiyordum ama eve gittiğimizde çok sevdiği marangozun kaderine usul usul ağlayan Lara büyük bir inatla, "Martıları Başkan azdırdı, asıl katil o!" dedi.

"Aman bunu kimseye söyleme!" dedim. "Bu öfke seli karşısında böyle sağduyulu sözleri kimse dinlemez. Ne olur sus, dilini tut. Hatırım için."

Biliyordum ki artık martılar adalıların en büyük düşmanıydı, herkes artık korkunç saydığı bu yaratıkları yok etme çareleri düşünüyordu. Ama kolay değildi bu çareyi bulmak. Martılar yılmamış, şiddet karşısında pes etmemiş ve her fırsatta intikam almıştı. Bu durumda yapılacak her yeni hücum onları daha çok tahrik edecek, adadaki hayatı çekilmez hale getirecekti.

Çaresizlik herkesin elini kolunu bağlıyordu. Kafalarına geçirdikleri tencerelerle hızlı hızlı yürüyen, arada bir bu tencereleri bir miğfer gibi kenarından tutarak başlarını havaya kaldıran, korku içinde martıların gelip gelmediğini kollayan adalılar için hayat bütün çekiciliğini yitirmişti. Kıyıya toplanan insanlar denize dalıp çıkan, havada pike yapan martıları nefret dolu gözlerle izliyordu. Geceleri, fısıl fısıl martıları imha planları konuşuluyordu. Neler yoktu ki bu planlar arasında: Martı kıyısını benzin döküp yakmaktan tutun da, ordu birliklerinden yardım istemeye kadar çeşit çeşit fikir.

Benim de aklım karışmıştı doğrusu. Yazar ve Lara martıları hiçbir zaman suçlamıyor, işin nasıl başladığını gözden uzak tutmuyorlardı ama ben bir şey söylemesem de içimden pek katılamıyordum onlara. Martıların vahşetini görünce içimde bir şeyler kırılmıştı sanki. Tamam, savaşı onlar başlatmamıştı ama bu durumda da yaşanmazdı ki. Keşke bunların hiçbiri olmasaydı.

Ne yapayım sevgili dostum, ben hiçbir zaman senin kadar kararlı, senin kadar tutarlı olamadım. Topluluktan bu kadar ayrı düşünmeye, bu kadar tek başına kalmaya cesaretim yoktu. Her zamanki gibi haklıydın, doğruları cesaretle savunmak, ileride daha az zarar görmek için başvurulması gereken en önemli yoldu ama şimdi itiraf edebilirim ki martıların vahşeti beni de ürkütmüştü.

Gitarist arkadaşımızı yatağa çivilemeleri, zavallı marangoz dostumuzu, saldırarak vahşice öldürmeleri, içimde onlara karşı zerrece sempati bırakmamıştı. Belki de benim kararsız ve yumuşak yüreğim, romantik bir biçimde masum kurbanları, öç alan savaşçılara tercih ediyordu.

Adalıların martı nefreti ve onlardan kurtulma çaresi araması Başkan'ı çok memnun etmişti kuşkusuz. Çünkü istediği sonucu almış, kendi düşmanını ortak düşman haline dönüştürmüştü.

Bu düşüncelerini, evinde yapılan —çünkü artık martıların hücumuna uğramamak için açık havada toplanamıyorduk– bir toplantıda açıkladı: Martılarla mücadelede yepyeni bir taktik denenmeliydi. Savaşın birinci kuralı, düşmanın karşısına başka düşman güçleri çıkarmak ve onları birbirine kırdırmaktı.

Bu dahice fikir(!) komşularımız tarafından alkışlandıktan sonra, Başkan Köpekbalığı, müthiş savaş stratejisini açıkladı: Adaya tilkiler getirilecekti. Tilkiler martı yumurtalarını çalar, onları yer ve böylece martı nüfusunun azalmasını sağlayabilirdi. Adada hiç tilki bulunmaması, martıların bu kadar çoğalmasına, "it sürüsü kadar" artmasına neden olmuştu. Bundan sonra bu imkânı bulamayacaklardı. Adalılar ise kendilerini tehlikeye atmadan, zekâ avantajlarını kullanarak bu iki türü birbirine karşı çarpıştıracak ve düşmanı yok edecekti.

Başkan'ın bu sözleri uzun alkışlarla, bravo sesleriyle karşılandı. Adalılar uzun zamandan beri ilk kez rahat bir nefes almış, hiç olmazsa gelecekle ilgili bir umuda kapılmışlardı. Herkes gelecek tilkileri kurtarıcı gibi görüyordu. Vahşi martıların kurbanı olan zavallı marangozun intikamını tilkiler alacaktı.

Artık adalılar tarafından iyice münafık olarak damgalanan Yazar'ın, "Ama ekolojik denge…" falan diye yırtınmasını kimse dinlemedi, birkaç kişi onu düşmanca gözlerle süzdü, onun bu uyarıları "entelektüel boşboğazlık" olarak görüldü.

Toplantının sonunda Başkan mağrur bir edayla, "Tilkileri nasıl temin edeceğimize gelince… onu bana bırakın sevgili arkadaşlarım," dedi. "Kararınızın bu yönde olacağını tahmin ettiğim için uydu telefonuyla on erkek, on dişi tilki ısmarladım bile.

Eskiden birlikte ava çıktığım köylüler en kısa zamanda tilkileri vapurla gönderecekler. Çok yakında, artık bu beladan tamamen kurtulacağız. Kararlı tutumunuz sayesinde adamızın bu beladan kurtulacağına inancım tamdır. Hepinizin adaseverliğiyle iftihar ediyorum. Yaşasın adamız, kahrolsun martılar!"

Kalabalık bir yandan bu sözleri alkışlar, bir yandan da, "Kahrolsun martılar, kahrolsun martılar!" diye haykırırken usulca oradan ayrıldık.

Azınlıkta kalmıştık, birbirimize itiraf etmesek bile artık topluluktan, yani komşularımızdan ve arkadaşlarımızdan ürküyorduk.

Bu arada bir şeyi de anlamış olduk: Demek ki teknenin üstünde, bizim radar sandığımız cihazlar arasında uydu telefonu da varmış.

Şaşkına dönmüş adalı komşularımıza, "Siz deli misiniz?" diye bağırdığın günü hiç unutmayacağım. Öfkeden, sanki seyrek sakalların bile titriyordu, ellerini iki yana açmıştın, herkesin gözünün içine tek tek bakıyordun ve haykırarak soruyordun: "Siz deli misiniz, deli misiniz yahu?!"

Zaman zaman sinirlendiğine tanık olurdum ama Başkan'la tartışman hariç, daha önce hiç böyle bir öfke krizine rastlamamıştım. Öfkenin şiddeti hepimizi şaşkına çevirmişti. Hiçbir zaman çok neşeli bir insan değildin, yüzünde hep bir keder gölgesi dolaşırdı, ara sıra gerginliklerin olurdu, ben de bize anlatmadığın bir sırrın olduğunu, çok derinlerde bir yara sakladığını düşünürdüm. Hatta zaman zaman bunu Lara'yla da konuşurduk, sevgili dostumuz niye bu kadar dertli diye birbirimize sorardık ama bu seferki öfken çok farklıydı. Galiba sen o gün adamızı sonsuzluğa kadar kaybettiğimizi anlamıştın. Biz ise hâlâ bir ada kaybetmenin ne demek olduğunu bilmiyorduk.

Halkın aymazlığına gösterdiğin tepki, dağa kaçan İsa hikâyesini getirdi aklıma. Hani seninle daha önce konuştuğumuz o güzel hikâyeyi. Peygamberi dağa doğru koşarken görenler, "Ey İsa, aslandan mı kaçıyorsun?" diye sormuşlar. O,

"Hayır!" demiş. "Kaplandan, ejderhadan mı kaçıyorsun?" diye sormuşlar. O yine, "Hayır," demiş ve eklemiş, "ben peygamberim, aslandan kaplandan korkmam." "Peki o zaman neden kaçıyorsun?" diye sormuşlar. "Ahmaklardan kaçıyorum," demiş İsa, "çünkü onlarla baş edemem."

Arkadaşlar senin öfkeli soruların karşısında susuyordu, zaten ne diyebilirlerdi ki... Son günlerde başlarına gelenlerden şaşkına dönmüşlerdi. Kimi başına bir tencere geçirmiş, kiminin elinde bir tava; arada bir gökyüzünü endişe içinde süzerek, korkmuş, ürkmüş durumda senin sözlerini dinliyorlardı.

"Biraz aklınızı kullansanıza arkadaşlar," diye devam etmiştin. "Martılar bizim düşmanımız mıydı? Bunca yıldır aramızda en ufak bir olay çıktı mı? Bu adam adamıza gelinceye kadar en ufak bir sorun yaşadınız mı?"

Birkaç kişi "hayır" anlamında başını sallamıştı.

Oysa ben birçoğunun senin yüzüne karşı bir şey söylemediğini ama arkandan konuştuğunu biliyordum. Orada burada, kulağıma senin aleyhinde sözler çalınıyordu.

"Başımıza martı avukatı kesildi!"

"Martıdan dost olur mu hiç?"

"Bu da aklı sıra adalılara hocalık yapacak."

"Sanki yatağa çivilenen bizim arkadaşımız değil!"

"Zavallı marangozu nasıl öldürdüler, görmediniz mi?"

"Bu iğrenç, vahşi yaratıkları savunacak aklınca!"

"Bunca hasar, yaralanma..."

Seni savunmaya çalışıyordum ama biliyordum ki kimse dediğinden geri dönmeyecek. Korku akıllarını öylesine başlarından almıştı ki laf anlatmak mümkün değildi. Hepsi umudunu tilkilere bağlamıştı, onları kurtarıcı olarak görüyordu. Sözümona tilkiler gelecek, martı yumurtalarını yiyecek, bu vahşi yaratıkların köküne kibrit suyu ekecekti. Adalıların öldüre öldüre bitiremediği martılar o zaman görecekti gününü işte. Bakalım tilkileri de insanlar gibi yıldırabilecekler miydi?

Adalılar o haftayı heyecan içinde, gelecek vapuru bekleyerek geçirdi. Nihayet özlenen gün gelip çattı ve büyük beyaz vapur ufukta belirdi. Martı hücumunun kesilmesinden cesaret bulan bizler de iskeleye toplandık. Başkan adamlarıyla birlikte iskelenin başında yer aldı, gözünü vapurdan, öteberi getiren motora dikti.

Bir süre sonra iskeleye yanaşan motordan karton kutular, tahta mahfazaları içinde camlar, yiyecek taşıyan paketler çıkardılar. Ortalıkta tilki kafesine benzer bir şey yoktu. Başkan, kaşlarını çatmış düşünceli düşünceli bakıyordu.

Adamları motordakilere tilkilerin nerede olduğunu sordu. Onlar da büyük bir karton kutuyu çıkarıp Başkan'ın ayaklarının dibine koydular. Suratsız adamlar Başkan'ın bir göz emriyle kutuyu açtılar, içinden tilki kürkleri çıktı. Kutunun içinde Başkan'a hitaben yazılmış bir de mektup vardı. Adamlardan biri bu mektubu yüksek sesle okudu.

"Sayın Başkan'ım," diye başlıyordu mektup.

Emriniz üzerine avcılarımız derhal harekete geçip yirmi tilki yakaladılar. Kürklerinin zarar görmemesi için onları zehirle öldürdük ve size itinayla bu kürkleri hazırladık. Bunca yıl sonra bizleri hatırlamış olmanızdan ve verdiğiniz emirleri yerine getirmekten dolayı, bütün bölge halkımız size şükranlarını sunar.

Başkan, "Salaklar!" diye bağırarak kutuyu tekmeledi. "Kürk olduktan sonra erkek dişi ne fark eder. Bunu da mı anlayamadınız?"

Nice zamandır gergin günler geçiren ada halkı, bu sözler üzerine ilk kez güldü. Belli ki bu gülmeler, Başkan hazretlerini daha da kızdırmıştı.

"Bana çabuk şu vali olacak sersemi bulun!" diye bağırarak bir türlü iskeleden ayrılmayan bota girdi.

Biraz sonra uydu telefonuyla konuşan Başkan'ın haykırışı duyuldu: "Ben sizden canlı tilki istedim, kürk değil!" diye bağırıyordu. "Nasıl, nasıl?... İyi de... öyle olsa hiç on erkek, on dişi tilki der miyim? Kürkün erkeği dişisi mi olur be adam!..."

İskeleye döndüğünde öfkeden yüzü morarmıştı. Hepimize ters ters baktı, "Programımızda küçük bir gecikme oldu. Tilkiler haftaya gelecek!" dedi ve çekip gitti.

O haftayı sakin geçirdik. Martılar yine kendi kıyılarında yumurtalarını bekliyor, uçuşup duruyor ama insanlara bir zarar vermiyordu. Geçici bir ateşkes ilan edilmiş gibiydi. Adalılar bir süre sonra başlarına tencere, tava geçirmekten vazgeçti. Doktorumuzun özenli bakımı sonunda, gitarist arkadaşımız, beklediğimizden çabuk iyileşme yoluna girdi. Gitarını eline alamasa bile, flütçü arkadaşımız sık sık evine gidip ona parçalar çalıyordu.

O günlerde dikkatimi çeken bir şey oldu. Aslında en dikkat çekmemesi gereken şeydi bu. Bakkalın oğlundan daha önce söz etmiştim size. Hani o doğuştan sakat, kambur, tuhaf oğlan. Gözlerimiz onu görmeye o kadar alışmıştı ki, varlığının farkına bile varmazdık. Ama o gün, her zamankinden farklı davranışlarıyla dikkatimi çekti. Ceketinin içinde bir şeyler saklıyor gibiydi, telaşlı telaşlı yürüyor, arada bir çevreyi kuşkulu gözlerle süzüyordu.

Çam fıstıklarının oradaydım ben, daha yüksekteydim. Dolayısıyla beni görememişti. Merak duygumu yenemeyerek sessizce peşine takıldım. Çocuk bakkalın arkasında kayboldu; bir süre sonra ortaya çıktığında artık bir şey saklamıyor, elini kolunu rahatça sallıyordu. O uzaklaştıktan sonra dükkânın arkasına gittim.

Orada büyük bir tavuk kümesi vardı. Bakkaldan, bu kümeste yetiştirdiği tavukları ve yumurtaları satın alırdık. Bazen de oradaki çardak altında balık yerine tavuk yaptığı olurdu. Çocuğun oraya ne saklamış olabileceğini merak ettim. Uzun süre baktım, ortada olağandışı bir durum görünmüyordu. Tavuklar kümesin içinde dolaşıyor, gıdaklıyor, gagalarıyla yemleri didikliyordu. Ama uzun süre baktıktan sonra ilgilendikleri şeyin sadece yem olmadığının farkına vardım. Birkaç yumurtanın başına toplanmışlardı. Yumurtaların değişik biçimi dikkatimi çekti. Daha yuvarlak ve daha beyazlardı sanki. Sonra başıma tokmakla vurulmuş gibi birden, sakat çocuğun ne yapmak istediğini anladım. Gözümün önüne, martı katliamı yapıldığı gün yere eğilip kalkması geldi. O zaman bu hareketine hiçbir anlam verememiştim ama şimdi anlıyordum ki çocuk yumurtaları kurtarmaya çalışıyor, onları gizli gizli kümese taşıyor ve tavukların altına yerleştiriyor.

İnsanoğlu ne garip diye düşündüm, en ummadığın kişide neler var. Acaba tavuklar martı yumurtalarını kabul ediyor muydu, onları sıcaklıklarıyla ısıtmak için altlarına alıyor muydu? Samanların arasında gördüğüm yumurtaların üstünde hiçbir tavuk yoktu ama oturan bazı tavukların altında ne olduğunu göremiyordum. Kümese sadece o girip çıktığı, yumurtaları o topladığı için tavukları benden daha iyi tanıyordu elbette. Belki de gizli kurtarma harekâtı işe yarıyordu; kimbilir.

"Bravo be çocuk!" dedim kendi kendime. "Ne adammışsın!"

Keşfimi Yazar'a ve Lara'ya anlatmak için yanıp tutuşuyordum; belki de güzel bir hikâye konusu olurdu bu.

Neyse, galiba yine lafın ucunu kaçırdım ve size esas anlatmam gereken noktayı geciktirdim.

Evet, beklendiği gibi ertesi hafta büyük vapur adaya bir kafes getirdi ve motordan çıkarılan kafesin içinde, birbirine dolanarak dönüp duran tilkileri gören Başkan ve ada halkı sevinçten mest oldu. Sanki adaya tilkiler değil, kurtarıcı melekler gelmişti. Herkes sevinç içinde el çırptı.

Beyaz giysiler içindeki Başkan, her günkünden daha fazla köpekbalığına benzeyen yüzü ve birbirine yakın gözleriyle bir zafer nutku patlattı. Artık bu adada vahşi martıların saltanatına son verilecekti. Düşmanının karşısına başka bir düşman çıkarmak yüksek stratejisiyle bu sorunun kökü kazınacaktı. Adalılar artık rahat bir nefes alabilir, geleceklerine güvenle bakabilirlerdi. Çok yakında adamızın her yeri güvenli bir hale gelecek, halkımız terör tehlikesinden kurtulacaktı.

Başkan'ın konuşması sık sık alkışlarla kesildi. Sonra törenle kafesin kapısı açıldı. On dişi, on erkek olduğu garantisi verilen ve deniz yolculuğundan sersemlemiş halde karaya indirilen tilkiler önce bir an durakladı, sonra yavaşça kafesin kapısına doğru sokuldu, başlarını bir-iki kez ürkekçe çıkarıp içeri soktu, sonra hepsi birden yıldırım gibi ormana doğru koşup gözden kayboldu. Adadaki canlılara bir tür daha eklenmişti.

Tilkiler koca kuyruklarını sallayarak koşarken, Başkan kendinden son derece hoşnut bir biçimde gülümsemeye, halk ise kurtarıcı kahramanları alkışlamaya devam ediyordu.

Törenden sonra sessizce dağılıp evlerimize gittik. Başkan'ın saldırı nöbeti dindiğine göre adadaki şiddet dönemi sona ermiş demekti. Her şey sessizliğe gömülmüş gibiydi. Görünüşte değişen bir şey olmamıştı, gündelik yaşam eskiden olduğu gibi devam ediyordu; insanlar yine birbirine selam veriyor, havadan sudan konuşuyordu ama adanın havasında, neredeyse elle tutulur bir değişiklik olmuştu. Eski neşeden, dostluktan, düşüncesiz, hesapsız kitapsız arkadaşlıktan eser kalmamıştı.

Hele bizimle yani Yazar'la, benimle ve Lara'yla pek az kişi ahbaplık ediyor, neredeyse bizi dışlıyorlar diyebileceğim bir tavır gösteriyorlardı. Bazı geceler komşu evlerde toplanıldığını, sohbet edildiğini duyuyorduk ama buralara hiç davet edilmiyorduk.

Yazar zaten bütün adalılara diş biliyor, hiçbiriyle yüz yüze gelmek istemiyordu. Yalnızlığı, yabaniliği, öfkesi büsbütün artmış gibiydi.

Biz Lara'yla durumdan pek de şikâyetçi değildik çünkü birbirimizin koruyucu limanlarına sığınabiliyorduk ama Yazar'ın ne yazık ki böyle bir şansı yoktu.

O durgun günleri renklendiren en önemli olay, arada bir uğrayıp gizlice neler olup bittiğini gözlediğim kümeste, iki martı yavrusunun peydahlanmasıydı. Demek ki çocuk başarmıştı bu işi, iki yavrunun canını kurtarmıştı. Sanki bütün dünyayı yemek istermiş gibi ağızlarını sonsuz bir açlıkla kocaman açan bu iki paytağı nasıl beslediği ise benim için bir sır olarak kaldı.

O günden sonra bir daha tilkileri görmedik. Ormanda kendilerine inler bulmuş olmalıydılar. Martı yumurtalarını yiyip yemediklerini ise görmemize olanak yoktu. Zaten artık hiç kimsenin canı, çok acı anıları akla getiren martı kıyısına gitmeyi ve oralara göz atmayı istemiyordu.

Bundan sonraki sekiz ay, boş bir kitap sayfası kadar olay-
sız ve tekdüze geçti.

Ta ki bir öğleden sonra, adanın dehşet günlerini hatırlatan bir kadın çığlığıyla uyanana kadar…

Önce de söylediğim gibi biz adalılar öğle yemeğinden sonra uzanmayı ve biraz kestirmeyi severiz. Zaten çok fazla işimiz olmadığı için şekerleme yapma alışkanlığını vakit kaybı olarak görmeyiz. Kimimiz bahçedeki divana ya da hamağa uzanır, kimimiz üstüne incecik bir pike alarak yatağın serinliğine sığınır.

Üzerimize böyle bir öğle rehaveti çöktüğü sıralarda, duyduğumuz bir çığlıkla ayağa fırladık. Sesin geldiği tarafa koşunca, insanların 22 numaralı evin önünde toplanmaya başladığını gördük. Oraya vardığımızda doktor, küçük bir pompa yardımıyla, o evde yaşayan yaşlı hanımın bacağından kan çekiyordu.

Öğle uykusu için yatağına girerken, kadıncağızı yılan sokmuş. Yatağının üzerinde serili olan ikiye katlanmış pikenin arasından fırlayıp çıkmış yılan.

Komşularımızın bir kısmı yılanı arıyordu. Sonunda onu dolabın altında kıstırıp öldürdüler. Cesur bir komşumuzun, elindeki sopanın ucuna takarak gösterdiği yılan, hepimizin yüreğine soğuk bir korku salacak kadar garip, rengârenk bir yaratıktı. Renklerin canlılığı, nedense, yılanın müthiş zehirli olduğunu düşündürmüştü bana. Çok geçmeden yanılmadığım ortaya çıktı. Bu işi bilen arkadaşlar, yılanın çok zehirli ve çok tehlikeli bir tür olduğunu açıkladılar.

Daha önce adada böyle vakalara alışık olmayan bizler, duyduğumuz haberle sarsıldık. Çünkü kapılarımız, pencerelerimiz açık, güvenlik içinde uyumaya alışıktık. Bunca zaman geçtikten sonra, artık acı anıları küllenmeye başlayan martı saldırılarından başka bir tehlikeyle karşılaşmış değildik.

Ilımlı yaşamımızı tehlikeye sokacak hayvan türlerine, zehirli bitkilere rastlanmazdı burada. Daha doğrusu o güne kadar öyle sanıyorduk ama artık arkadaşımızın elindeki sopanın ucunda sallanan yılan ve ateşler içinde yanarak zehrin etkilerini gövdesinden atmaya çalışan kadıncağızın içler acısı hali, içimizdeki bu güven duygusunu paramparça ediyordu. Demek ki artık yatmadan önce pikeyi açıp kontrol edecek, banyonun tavanını ve dolap altlarını gözden geçirecek, kısacası kendimizi güvende hissedebilmek için bir sürü önlem alarak yaşamak zorunda kalacaktık.

İyi ama nereden çıkmıştı bu rengârenk, zehirli, acayip yılan? Evin içine nasıl sokulmuştu? O gece kafamız bu sorularla dolu olarak, tedirgin, korkuyla uyuduk. İçimizde kötü bir önsezi vardı ve ne yazık ki geleceğe ait kaygılarımızın doğrulanması çok da vakit almadı.

Sabah serinliğinde Lara'dan önce uyanıp terasa çıktığımda, uykunun hareketsiz bıraktığı bedenimi açmak için gerinirken başımı sağa çevirdim ve onu gördüm. Yarısı havaya dikilmiş, bana doğru tıslayan ve çatallı dilini tehditkâr bir ifadeyle oynatan, kızıl yeşil alacalı bir yılan. Bir gün önce gördüğümüzün neredeyse aynısı. O anda donup kalmam, yılanlarla ilgili efsanelerin doğruluğunu mu kanıtlıyordu, yoksa yüreğimin üşüdüğünü hissetmemle mi ilgiliydi, bilmiyorum. Daha önce elimin ayağımın bu kadar kesildiği bir başka an hatırlamıyorum.

Yılan öne arkaya sallanıyor ve saldırmak üzere hazırlandığını sandığım kızgın hareketler yapıyordu. İçimden olanca hızımla kaçmak geliyordu ama sanki böyle karşı karşıya duruşumuzda gizli bir anlaşma varmış, kıpırdarsam o da kıpırdayacakmış gibi bir duygu içinde istediğimi yapamıyordum...

O anda bir mucize oldu. Yılanın, gövdesinin tam ortasına inen bir darbeyle yere serildiğini, bir parçasının ezildiğini ve benim için bir tehlike oluşturmaktan çıktığını gördüm. Aynı anda, yanımda tiril tiril geceliği içinde duran, elinde büyük bir kürekle yılana vurup duran Lara'yı fark ettim. İçimde sevinç, kurtuluş, şaşkınlık, korku, heyecan, ürkeklik duygularının karmakarışık olup boğazıma tıkandığı o anda, 'Müthiş bir şey,' diye düşündüğümü hatırlıyorum. 'Bu müthiş bir şey, Lara hayatımı kurtardı, hayatımı kurtardı, müthiş bir şey!'

Yılana üst üste kürek darbeleri indiren, küreğin yalnız enli bölümüyle yılanı ezmekle kalmayıp, keskin yanını çevirerek diklemesine kafasını kopartan bu kadın benim sevgilim miydi; o kırılgan, ince, hayattan korkan, narin Lara'm mıydı? Yılana gösterdiği öfkenin büyüklüğünü, bana olan aşkının ölçüsü olarak algılıyordum sanırım. O, yılana vurdukça, benim için ne kadar korktuğunu, sevgilisini elinden alabilecek tehlikeye karşı nasıl mücadele ettiğini görmek beni tuhaf bir biçimde mutlu ediyordu.

Neden sonra küreği elinden güçlükle aldığımda, bir şiddet rüyasından yeni uyanmış gibi yumuşadı, birden patlayan tropik bir yağmur gibi omuzları sarsılarak ağlamaya başladı. Birbirimize sarıldık, eve girdik ama ev artık gözümüze tekin bir yer gibi görünmüyordu, bahçe de öyle. Her an her yerden bir tehlike çıkacak gibi geliyordu. Yatağın altı, dolapların içi, banyoda asılı duran havlu, çalıların dibi, taflanların arası, pergolanın tahtaları gibi her gölgeli, kuytu yer, zehirli düşmanın çöreklenip bizi beklediği bir pusu olabilirdi.

Kendimize gelmek için kahve yaptık, hiç konuşmadan, sessizce kahvelerimizi yudumladık. Daha sonra ben yine o kürekle, yılandan arta kalanları alıp çöpe attım. Hâlâ garip bir ürküntü içindeydim, ezilmiş yılana bakamıyordum ama bu işi de Lara'ya yaptıramazdım artık.

Lara bahçedeki koltukta ayaklarını altına toplamış, kollarıyla dizlerini sarmış durumda oturuyor, sabit bir noktaya bakıyordu. Yüzü bembeyazdı. O sabah hiç konuşmadığımızı, birbirimize tek bir kelime bile etmemiş olduğumuzu fark ettim.

Tam o sırada, uğursuz bir önseziyle beklemekte olduğum çığlıkları duydum. Adadan çığlıklar ve gürültüler yükseliyordu ve biz artık bunların ne anlama geldiğini biliyorduk. Yine birileri yılanlar tarafından sokulmuştu, bazı evlerde de bizim gibi yılan öldürme töreni yapılıyordu. Lara endişe içinde yüzüme baktı ve "Ne yapacağız?" diye sordu.

"Bilmiyorum!" dedim. Adamızı yılanlar basmıştı ve böyle bir beladan nasıl kurtulacağımızı bilemiyorduk.

22 numaradaki yaşlı hanım o gün akşama doğru, hummalı ateşler içinde sayıklayarak, çaresiz doktorun kolları arasında öldü. Ertesi gün onu, korkudan yüzleri kireç beyazına kesmiş adalıların kaygılı bakışları ve başına gelenlere inanamadan durmadan ağlayan kocasının gözyaşları arasında, martı hücumunda kaybettiğimiz marangoz ağabeyimizin hemen yanında toprağa verdik.

Evler yılan kaynıyordu, doktorun elinde yeterli serum ve ilaç yoktu. Vapuru beklemekten başka bir çare göremiyorduk. Kimileri vapura binip bu lanetli, uğursuz adayı terk etmekten dem vurmaya başlamıştı. Öfke içindeydik ama öfkemizin bir hedefi yoktu.

Başkan'ın adamları, eve girmeye çalışan iki yılanı öldürmüş oldukları halde rahat etmiyor, gece gündüz nöbet tutuyordu.

Evde sadece Başkan ve karısı vardı artık. Okul döneminin başlamasıyla birlikte torunları, dokunaklı bir veda töreniyle vapura bindirilip adadan ayrılmıştı. O günden sonra da Başkan'ın sesi sedası çıkmamıştı pek. Bütün bu dikkate rağmen, yılan tehlikesinin başladığı günden tam bir hafta sonra Başkan'ı da elinden yılan ısırdı.

Anlatıldığına göre, bahçe işleriyle uğraştığı ve budamak için *pitosporum*'lara elini attığı sırada darbeyi almıştı. Çığlık üzerine hemen koşan adamları, tekneden alelacele getirdikleri birtakım pompalar, ilaçlar ve serumlarla Başkan'ı kurtarmayı başardılar. Günlerce ateşler içinde yatmasına, çok acı çekmesine rağmen hayati tehlikeyi atlatmıştı. Bu durum, teknedekilerin her şeye hazırlıklı olduğunu ama ellerindeki ilaçları adalılar için kullanmadıklarını da ortaya çıkarmıştı. Buna rağmen adalıların bazıları hâlâ ona toz kondurmuyor, bizim bu durumu fırsat bilerek yaptığımız muhalefete kulak asmıyordu.

Ne acayip bir ada olmuştuk böyle. Başkan'ın adaya ilk gelişinde yaptığı toplantılar, ağaçlarımızı budamalar, bakkalın zavallı, merhametli oğluna atılan dayaklar, gördüğümüz hakaretler, martılara yapılan saldırılar unutulmuştu. İnsanların çoğu bu olayların alçak martıların hücumuyla başladığını hatırlıyordu. Sanki bir el gelmiş, bir gece ada halkı uykudayken herkesin hafızasını silmişti. Arada bir komşularımızla tartışırken bu konu açıldığında bize hak vermedikleri gibi —Lara'ya ve bana fazla kıyamıyorlardı ama— olaylardan Yazar'ı sorumlu tutarcasına garip sözler söylüyorlardı. Onlara göre "o" şom ağızlılık etmiş, başımıza bu felaketlerin gelmesine "o" neden olmuştu.

Zaten başından beri adalılarla iyi bir ilişkisi, dostluğu olmamıştı; nasıl derler, "nevi şahsına münhasır", içine kapanık bir adamdı. Onu üzen, başka insanlardan farklı kılan bir sırrı olduğu belliydi; hayatının üstünde bir kuşku gölgesi vardı ki bu zaman zaman yüzüne de vuruyordu.

İşte senin için bunları söylüyorlardı sevgili dostum. Lara'yla birlikte seni var gücümüzle savunmaya çalışmamız, hayatta tanıdığımız en dürüst, en sağlam karakterli kişi olduğunu söylememiz işe yaramıyordu.

Bu sözleri laf olsun diye söylemiyorum. Sen gerçekten de tanıdığımız en dürüst, en sağlam karakterli insandın. Senden öğrendiklerimi, senin yalnız sözlerinden değil de davranışlarından, mertliğinden, bazen dediğim dedik tavırlarından –ki bu herkes tarafından kibir olarak algılanıyordu– edindiklerimi hiçbir zaman unutmayacağım. Eh, sözün burasında, "Her zaman bunları uygulamasam da..." demem gerekir. Çünkü bir önceki bölümde yapılan "edebi numara"yı hiç de hoş görmeyeceğini biliyorum. Adayı yılan basmasının heyecanlı anlatısı içinde bile, metni zedelediğimi düşüneceğini, hatta bana kızacağını, gözlerine o öfkeli bakışın oturacağını biliyorum.

Bunların hepsini biliyorum bilmesine ama bu kadarcık biçim oyunu yapmama da izin vermeni diliyorum senden. Çünkü ne de olsa sıkılıyor insan biraz, değil mi? Anlat, anlat, anlat... hep aynı cümleler, aynı tasvirler, imgeler, alegoriler, metaforlar. Yüzyıllardan beri aynı biçimde anlatılan olaylar. Bir parça deneme yapmanın kime ne zararı olabilir ki.

Bana, "Adadaki hayatın tekdüze akışını, boş bir sayfayla anlatmaya çalışmak yerine, bir önceki bölümde adaya gelen tilkilerden söz et behey gafil!" dediğini duyar gibiyim. Gerçekten de o bölüm eksik kaldı. On erkek, on dişi tilki, iri kuyruklarını savurarak yıldırım gibi ormana daldıktan sonra, bir daha onları gören olmadı demiştim, değil mi?

Bilenlerin anlattıklarına ve evdeki ansiklopedilerin verdiği bilgilere göre bu tilkiler, martılar gibi toplu ve örgütlü hareket etmez, tek başlarına avlanarak yaşarlarmış. Sinsi bir karakterleri varmış. Önlerine çıkan her fırsatı değerlendirir, günde bir kilo kadar yemek yerlermiş. Bu yemi küçük havyanlar, tavuklar, yumurtalar, hatta böğürtenler, çilekler oluştururmuş. Haa bir de çok ürerlermiş, bir sürü yavruları olurmuş.

Adaya getirilmelerine neden olan martı yumurtası avcılığı yaptılar mı, buna biz şahit olmadık çünkü onları hiç görmedik. Belli ki o yumurtaları gizlice çalıyor, ana baba martıların bile bundan haberi olmadan yiyorlardı. Martı nüfusunda epeyce azalmaya yol açtıklarını öne sürenler bile vardı.

Tilkiler, o sırada çok konuşulmaya başlandı. Başkan'ın evlere dağıttırdığı bir çağrı sonunda, bir akşamüstü yine çardak altında toplandığımızda bu duruma değinenler oldu. İyi ki toplantı oldu da gözlerimiz açıldı. Ada halkı yine birleştirilmiş masaların çevresine dizildi, yönetim kurulu yerini aldı.

Ama yönetim kurulu üyeleri için ayrılan sandalyelerden biri boştu. Yazar toplantıya gelmemişti. Artık kalabalığa hiç karışmıyor, hatta bu duruma çok üzüldüğümüzü bildiği halde Lara'yla beni bile ihmal ediyordu.

Bahçenin bir köşesinde ise müzisyen arkadaşlarımız duruyordu. Ellerindeki enstrümanlarıyla ara sıra bazı sesler çıkarıyor, etraflarına yabancı gözlerle bakıyorlardı.

Gitarist arkadaşımızın bu kadar iyileşmiş olmasına sevindim. Başkan onlardan toplantı öncesinde bir şeyler çalmalarını istemiş olmalıydı. Ama bu arkadaşlarımızın çıkardıkları sesler ilk kez bu kadar yabancı geliyordu bana. Biraz dikkat edince, çaldıklarının marş gibi bir şey olduğunu duyabildim.

Başkan tiril tiril beyaz giysileri içinde her zamanki otoriter tavrıyla tam ortaya oturdu. Adaya ilk gelişindeki halinden tek farkı, sağ elindeki sargıydı. Müzisyenler de enstrümanlarını bırakıp masadaki yerlerini alınca, toplantı başladı.

Konuşmalar devam ederken ben oradaki ilk toplantımızı hatırladım. Hani o yönetim kurulunun seçildiği, adaya bürokratik kuralların egemen olmasına yol açan toplantıyı; daha sonra Başkan'ın adalıları martılara saldırmaya ikna etmeye çalıştığı başka bir toplantıyı. Her şey aynı gibi görünüyordu ama aslında ne kadar farkıydı. Adalıların arasında ne eski güven kalmıştı ne de eski neşe. Herkesin yüzüne bir keder gölgesi çökmüştü. Komşular kuşkulu bakışlarla birbirini süzüyordu. Ortalıkta insanın içine oturan bir hüzün ve kuşku dolaşıyordu.

Bu durum, Başkan'ın herkesi, kaybettiğimiz marangoz ağabeyimiz ve yılan sokmasından ölen hanımefendi için bir dakikalık saygı duruşuna davet etmesiyle daha da belirgin bir hal aldı. Bu dostlarımızın oturdukları sandalyeler boş bırakılmış, masanın üstüne birer resimleri konulmuştu. Saygı duruşu sırasında gözlerinden yaşlar süzülenler oldu.

O sırada denizde uçmakta olan birkaç martıyı, nefretle süzdü adalılar. Başkan her zamanki hamasi konuşmalarından birini yaptı, yine düşmanlardan söz etti, martıları lanetledi, yılanları ise adada medeni bir yaşam olmayışının sonucu olarak açıklamaya çalıştı.

Ona göre, martılara karşı verilen mücadele başarılı olmuştu, şimdi aynı azim ve kararlılıkla yılan mücadelesinin de üstesinden gelinecekti. Adalıları kimse yıldıramazdı. Bu mücadelede halkın yüksek maneviyatını bozmak isteyen bir-iki bozguncu ortaya çıktığı halde, hain emellerini gerçekleştirememiş, halkın birlik ve beraberliğini bozamamışlardı. Burada Yazar'ı ve bizleri kastettiği açıktı. Birkaç kişi bize ters ters baktı.

Başkanlık yılan mücadelesinde de gerekli acil önlemleri almış, uydu telefonuyla sipariş vererek bütün evlere yetecek kadar yılan kovucu ilaç ısmarlamıştı. Bu ilaçlar, iki gün sonraki vapurla gelecek, bütün evlere dağıtılacak, böylece evlere yılan girmesi önlenmiş olacaktı.

Başkan'ın bu sözleri alkışlarla karşılandı. Kuşkuyla masanın altına bakan, herhangi bir yılan saldırısına karşı çizmeler, eldivenler giymiş, ellerine sopalar almış olan insanların gözünde ilk kez umut ışıkları belirdi. Başkan'larına minnet dolu gözlerle bakıyorlardı. Demek ki iki gün daha dişlerini sıkarlarsa, bu kızıl yeşil yılan belasından da kurtaracaktı Başkan onları.

Ama herkes kendini bu mutlu rehavete kaptırmış giderken, huzurlarını kaçıran bir şey oldu: Arkalardan, "Adayı neden yılan bastığını anlatmayacak mısınız sayın Başkan?" diyen alaylı bir ses yükseldi.

Yazar gelmişti! İyice zayıflamış, iğne ipliğe dönmüş, gözleri derine kaçmış çilehane kaçkını bir ermiş gibi orada dikilmiş ve önce Başkan'a, sonra bütün adalılara yıldırım gibi sorular yöneltmişti.

Adayı neden yılanlar basmıştı, bunca yıldır yoktu da bu yılanlar birdenbire nereden çıkmıştı, her eve yılan girmiş olması, adadaki yılanların yüzlerce misli artması nasıl açıklanabilirdi? Buna hangi tabiat olayı neden olmuştu. Nasıl olurdu da bu önemli konu konuşulmazdı? Yoksa koltuğunda huzursuzca kıvranmakta olan Başkan'ın saklamak isteği bir şey mi vardı?

Toplantının üstüne kurşun gibi yağan bu salvo, bir soruyla bitti:

"Durumu siz mi açıklamayı tercih edersiniz, yoksa ben mi söyleyeyim?"

Başkan söylenecek bir şey yok falan diye homurdanırken adamlarının susturmak niyetiyle yöneldikleri Yazar, hâlâ yönetim kurulu üyesi olduğunu ve konuşma hakkı bulunduğunu söyledi. Kara gözlüklü adamlar, Başkan'ın bir el hareketiyle durdu.

Yazar, toplantı masalarının tam ortasına doğru yürüyerek, "Bakın arkadaşlar," dedi, "olayların nasıl başladığını hatırlayın. Eski günlerinizi düşünün, bu adada bütün canlılar gibi martılarla da iyi geçindiğimiz o mutlu dönemi hatırlayın. Her şeyi unutmuş olamazsınız; hani martıların gelin gibi süzülerek havada uçuşlarını seyrettiğimiz, huzur içinde sohbetler yaptığımız, müzisyen arkadaşlarımızın, sanki bu doğanın bir parçasıymış gibi yaydıkları flüt ve gitar seslerine kulak verdiğimiz o dönemi. Gölgeli ağaçlarımızın altında hiçbir korku duymadan huzurla yürüdüğümüz günleri..."

İfadesiz bakışlarla kendisini dinleyen adalıları bir süre süzdükten sonra devam etti:

"Hatırlamıyor musunuz bunları? Sonra bu adamın gelişi, ağaçlarımızın budanması, kurallar, yönetimler, evlere dağıtılan bildiriler ve sonunda günahsız martılara karşı başlatılan hücum."

Sözün burasında, 'bu adam' sözüne bozulan Başkan'ın adamları biraz hareketlendiyse de, onun bir işaretiyle durdular ve Yazar konuşmasını sürdürdü. Bu arada, Başkan'ın en sadık adamlarından biri durumuna gelmiş olan 1 Numara'dan bir itiraz yükseldi: "Bu anlattıklarının yılanlarla ne ilgisi var?"

Ona şefkatli gözlerle bakıp, "Eski dostum, ilgisi var, hem de çok yakından var," diyen Yazar, salondakilerin tamamına yönelerek konuşmasını sürdürdü: "Martıların sayısını azaltmak için adaya tilkiler getirdiniz; 'düşmanımın düşmanı dostumdur' mantığıyla. Başkan'ın teorilerine göre bir düşmanın karşısına başka bir düşman kuvveti dikmek zorundaydınız. Tilkiler bir yandan yumurtaları yiyerek martı nüfusunu süratle azalttı, bir yandan da kendileri çoğaldı. Onlar çoğaldıkça martı azaldı ve sonuç bu oldu."

Bazı sabırsız ve sinirli komşular kötü kötü bakarak, "Ne oldu?" diye bağırdılar.

"Arkadaşlar, anlamıyor musunuz, yılanlar, ekolojik dengeyi bozduğunuz için bu kadar arttı. Çünkü eskiden martılar yılanları avlıyordu. Bu yüzden adadaki yılan sayısı belli bir düzeyde kalıyordu. Hatta biz bu zehirli türden olanlara hiç rastlamıyorduk. Bize uzak tarafta, kendi hallerinde yaşıyorlarmış demek. Tilkiler martıları azaltınca, yılanlar çoğaldı ve işte böyle evlerinize kadar girmeye başladı. Yani düşman saydığınız martıların karşısına diktiğiniz tilkiler, hiç beklemediğiniz yepyeni bir tehlike yarattı."

Bir sessizlik oldu. Belli ki herkes, 'Acaba doğru mu?' diye düşünüyordu, çünkü Yazar'ın söyledikleri çok akla yakındı. Hatta noter bey ayağa kalkıp, "Arkadaşımız doğru söylüyor. Ekolojik dengeyle oynamak her zaman felaket getirir!" bile dedi. O saygın isim bunları söyleyince herkesin ayağı bir parça suya ermiş oldu.

Başkan'ın bu sözlere itiraz etmediğini, hatta başıyla olumladığını görünce şaşırmadık desem yalan olur. Nasıl olmuştu da Köpekbalığı, bu mantıklı sözlere kulak vermişti. Oysa ben ayağa kalkıp hakaretler yağdıracağını, adalıları Yazar'a kulak vermemeye çağıracağını, adamlarına tutuklama emri vereceğini falan sanırdım. Ama demek ki yılların politik manevraları ona bazı noktalarda geri basmayı, eski deyimle suret-i haktan görünmeyi öğretmişti.

Ayağa kalktı, "Arkadaşımızın doğru söylediğini kabul etmek zorundayız," dedi. "Biz kimseye haksızlık yapmayız. Doğruya doğru, eğriye eğri. Martılara karşı mücadele etmemiz gerekliydi. Kimse buna itiraz etmeye, haklı davamızı küçük göstermeye kalkmasın. Cennet adamız bu hastalık yayan vahşi yaratıklara teslim edilemezdi; hem biz bu kararları hep demokratik bir biçimde, oylama yaparak aldık, öyle değil mi arkadaşlar? Her şey demokratik kurallara uygun biçimde yapıldı, çoğunluğun kararıyla martılara saldırıldı. Ama ne yapalım, her mücadelede böyle beklenmedik sonuçlar ortaya çıkabilir. Duruma bakılır ve bunlara karşı da tedbirler alınır. Önemli olan kararlılık, birlik beraberlik ve maneviyatı yüksek tutmak."

Daha da alaycı bir ses tonuyla, "Peki şimdi ne öneriyorsunuz sayın Başkan?" dedi Yazar. "Şimdi de martı nüfusunu biraz artırmak için tilkilere karşı mı savaş açacağız? Elimize silah alıp tilki avına mı çıkacağız?"

Başkan en sert ve kararlı yüz ifadesini takınarak, "Hayır!" diye yanıtladı bu soruyu. "Bin kere hayır. Zafere ulaşmak üzereyken martı nüfusunu tekrar artıracak hiçbir şey yapmaya hakkımız yok. Onlar bu adanın ve hepimizin düşmanıdır." Sesini iyice yükselterek devam etti: "Zavallı marangozu nasıl hunharca öldürdüklerini, masum komşumuzun başını nasıl gagaladıklarını henüz unutmadık. Unuttuk mu arkadaşlar ha, unuttuk mu?"

Kalabalıktan bazıları, "Hayır unutmadık!" diye bağırdı.

Başkan sesini yumuşatarak "Ama sevgili komşularım," dedi, "durum böyle diye elimizi kolumuzu bağlayıp oturmayacağız elbette, yapılacak işler var. İlk iş olarak şu vapuru bekleyelim ve ilaçları alıp evlerimizi yılan tehdidinden kurtaralım."

Bu tartışmalar sırasında gözüm bir an ufka dalıp gitti. Güneş yine denize dalan kızıl bir daire gibi batıyordu, ufuk çizgisi kırmızıdan mora kadar değişen yürek burkucu bin bir renk yansıtmaktaydı. Martılar, sakin ve huzurlu bir tatil adasını akla getirecek biçimde gökyüzünde süzülüp duruyordu. Ada eski günlerindeki gibiydi, hiçbir şey değişmemişti sanki; değişen bizdik.

Lara, yılan olayından sonra içine gömüldüğü sessizliği o toplantıda da bozmadı, ağzını bıçaklar açmadı. Eve gittiğimiz zaman onun bu sessizliğine saygı göstermekten başka çare bulamadım. Belli ki dile getiremeyeceği kadar büyük sorunlarla boğuşuyordu. Gece uykularında çırpınıyor, küçük çığlıklar atıyor, yatakta huzursuz bir biçimde oradan oraya savruluyordu.

Bütün bunların, o yılanı öldürmesiyle ilgili olduğu o kadar belliydi ki. Bu dünyada şiddete en karşı olan kişinin bile, koşullar zorlayınca bir öldürme makinesine dönüştüğünü gözlerimle görmüştüm. Yılanın önce belini kırması, gövdesinin bir bölümünü ezmesi sonra da küreğin keskin tarafıyla kafasını koparması hiç gözümün önünden gitmiyordu. Demek ki korku insanoğluna her şeyi yaptırabiliyordu. Kafamdaki iyilik-kötülük düğümü biraz daha dolaşmış, biraz daha karmaşıklaşmıştı. Bu sorunun, benim daha önce sandığım gibi basit cevaplarının olmadığını fark ettim.

Ertesi gün onu evde tek başına bıraktım ve adada bir yürüyüşe çıktım. Böyle bir yalnızlığa gereksinim duyduğunu görüyordum çünkü. Kendi kendine kalmalı ve belki de gerek duyduğu bir iç hesaplaşmayı sükûnet içinde yapmalıydı.

Aslında benim de bir parça yalnız kalmaya ve düşünmeye ihtiyacım vardı. Çünkü yılanı gördüğüm anda tutulup kalmam ve Lara'nın beni kurtarması uzun zamandır içimde uç veren ama bir türlü düşünmeye cesaret edemediğim bir soruyu kaçınılmaz biçimde ortaya çıkarıyordu: Ben bir korkak mıydım? Lara'ya layık olamayan aciz ve edilgen bir erkek miydim? Yazarın onca ısrarına rağmen niye toplantılarda sesimi çıkarmıyor, Başkan'a itiraz etmiyordum?

Bu düşüncelerle karalar bağlamış bir halde ve Yazar'ı bulurum umuduyla Mor Su'ya gittim, yoktu; sonra dolaşa dolaşa dev fıstık çamlarının insanın içine güven veren, koruyucu, esirgeyici serinliğine sığındım.

Yazar orada da yoktu ama bakkalın kambur oğlu, bir çamın dibinde huzurlu bir uykuya dalmıştı. Ayağımın altında çam iğneleri ve kozalaklar çıtırdıyordu, mümkün olduğu kadar ses çıkarmadan onun yanına oturmayı başardım. Çocuk, sanki adada ne martı ne yılan tehlikesi varmış gibi, sonsuz bir huzurla uyuyordu. Konuşamayan, hiç kimseyle iletişim kurmayan, insanlarla göz göze bile gelmeyen bu çocuk üzerinde hiçbirimiz kafa yormamış, onun nasıl bir insan olduğunu anlamaya çalışmamıştık. Bakkalın durgun zekâlı, sakat oğlu olduğunu bilmek yetiyordu hepimize. Evlere servis yaparken gördüğümüz tuhaf, bir suyun içindeymiş gibi hareket eden, acayip bir oğlan. Bu yüzden onun martı yavrularını kurtarmaya çalıştığını anlamak beni şaşırtmış, bu çocuğa dikkat etmemi sağlamıştı.

Çocuk, bir süre sonra benim varlığımı hissetti herhalde ve uyandı; hemen doğruldu, gözlerini ovuşturdu, özür diler gibi bir ifade takındı.

"O kadar derin uyuyordun ki," dedim, "uyandırmaya kıyamadım."

Kendisiyle sohbet edilmesine alışık olmayan çocuk, şaşkın bakışlarını gözümden kaçırmaya çalışıyordu.

"Seninkiler nasıl?" dedim.

Her zamanki gibi sessiz kaldı, korkmuş gibiydi..

"Hani," dedim, "kümesteki martılar. O iki martı yavrusundan başka da kurtardığın oldu mu?"

Koşarak gitti yanımdan. Yamaçtan aşağı seğirterek koşan bu zavallı, sakat çocuğa bakarken içimin hem merhamet hem de derin bir saygıyla dolduğunu fark etmek şaşırtmadı beni.

Yazı yoluyla duyguları, düşünceleri, hatta görüntüleri, eylemleri anlatmak mümkün ama gemiyle gelen yılan ilacının hepimizin burun direğini kıran kokusunu nasıl anlatmalı bilmem. Evlerin bahçesine, terasların altlarına, balkon kapılarının girişlerine konulan bu ilacın yaydığı kokuyu anlatmak için kelimeler yetmez. Yüz ölü hayvanı üst üste yığıp güneşin altında günlerce bekletirseniz belki bu kokuyu çıkarırlar desem yeterli olur mu acaba, emin değilim.

Varillerle getirilip adanın birçok yerine konulan ilaç belki yılanları kaçırıyordu ama artık eve barka girmek bizim için bir zulüm haline gelmişti. O güzelim ıtırların, yaseminlerin kokusu bile bu kepazeliği bastırmaya yetmiyordu. Evlerin her tarafına serptiğimiz kolonyalar, sürdüğümüz losyonlar, kadınların sandıklarından çıkararak kullandıkları en ağır parfümler hiçbir işe yaramıyordu. İçimizden bazıları, "Aman yılan gelirse gelsin, bu kokuyla ölmekten daha iyidir!" diyerek ilaç dökülmüş yerleri suyla sabunla yıkayıp evindeki kokuyu bir parça hafifletti.

Zavallı adalılar!

Martı saldırılarından korkup başına tencere geçiren, yılanlardan korkup o sıcakta ayaklarında koca çizmelerle dolaşan bu zavallı insanların, kokudan kurtulmak için burunlarına birer mandal mı takmaları gerekiyordu acaba?

Kimileri, bu adanın uğursuz olduğundan, lanetlendiğinden dem vurmaya başlamıştı bile. Ne kadar dil dökersek dökelim, bu lanete inananları fikrinden döndüremiyor, adamızın Başkan gelene kadar dünyanın en güzel yeri olduğunu hatırlatmayı başaramıyorduk. Lanet de lanet diye tutturmuşlardı. Demek ki adanın kaderinde bu da vardı. Birkaç aile vapura binip memlekete geri dönmeyi bile düşünmeye başlamıştı.

İlaçlı yerleri yıkayarak temizleyen arkadaşların evindeki koku giderek azalınca, biz de öyle yapmaya koyulduk. Nasıl olsa yılanlar kaçtıysa kaçmıştı artık; biz de uzun zamandır yapamadığımız bir şeyi, yani içimize temiz bir nefes çekmeyi başarabilirdik.

Ben yılan olsam bir daha bu evlerin yanına bile uğramam diye düşünüyordum ama yanılmışım, ilaçların etkisi hafifler hafiflemez bir-iki evde yine yılan görüldü. Evlerin içine girmemişler ama bahçede ya da teraslarda yakalanmışlardı. Demek ki yılanları ilaçla def etme projesi işe yaramamıştı.

Bunun üzerine çaresiz kalan ada halkı yine yönetim kuruluna başvurdu. Daha açık bir deyişle derdini Başkan'a anlattı, çünkü yönetim kurulu demek, Başkan demekti.

Başkan yüzünde kararlı bir ifadeyle, her şeyin bir çaresinin bulunacağını, adayı yılan derdinden kurtarmak için memleketten bir uzman çağrıldığını, denizi aşarak gelecek olan bu uzmanın bizi bütün bu sorunlardan kurtaracağını söyledi. Bu büyük uzman başka yerlerde mucizeler yaratmış, sorunları, krizleri çözmüştü, niye bizim adamızda da çözmesindi. Sözlerini, "Başkanlığımız bu adanın güvenliği, refahı ve huzuru için her türlü tedbiri düşünmekte ve uygulamaya koymaktadır. Yeter ki siz birlik ve bütünlüğünüzü bozmayın, müsterih olun," diye bitirdi.

Bu sözleri duyan halk büyük bir heyecana kapıldı ve bu değerli uzmanın yolunu gözler oldu. Yalnız, bu uzman bedava çalışmıyordu elbette. Hatta epey pahalı bir ücretle çalıştığı bile söylenebilirdi. Ne var ki yapacağı muazzam işin yanında alacağı ücret hiç de çok sayılmamalıydı. Uzman adaya ayak basar basmaz verilmek üzere, her evin belli bir para ödemesi gerekiyordu. İçimizden bazıları, "Ne yapacağını görsek de ona göre para ödesek," dedi ama diğer komşular bu uyarıları yapanlara ters ters baktı.

Ben sesimi çıkarmadım çünkü son aylarda yaşadıklarım, bana bir şeyi aklımdan hiç çıkmayan bir hayat dersi olarak öğretmişti: Ne yaparsan yap ama adalıların rüyalarını çalmaya kalkma. Bir umuda bağlanmak isteyen komşularına, bunun yalan olduğunu söyleme, kimseyi gerçekçi olmaya çağırma. Çünkü bunalan insanların, yalan bile olsa bir umuda sığınma ihtiyaçları, gerçeği söyleyenlerden nefret etmesine yol açıyor. Aradan bir süre geçip haklı çıksan bile bir şey ifade etmiyor bu. Çünkü o zamana kadar başlangıçtaki koşulları unutmuş oluyorlar. Yazar'ın artık halkın içine hiç karışmamasına, onlarla hiç konuşmamasına rağmen bu kadar nefret duyulan bir kişi haline gelmesi başka nasıl açıklanabilir ki zaten!

Bu yüzden ben "uzman" girişimi karşısında hiç sesimi çıkarmadan payıma düşen parayı ödemeyi ve susmayı uygun gördüm. Orada burada üçerli beşerli gruplar halinde toplanıp da uzmanın ne müthiş bir adam olduğunu, nice ülkeyi felaketten kurtardığını, adadaki sorunları kökten çözeceğini söyleyenlere hiç itiraz etmedim. Sadece Lara'ya, uzman işi de fiyaskoyla sonuçlanırsa ne yapacağımızı düşünmeye başlamamızı önerdim. Belki bizim de artık bu adadan kaçmamız gerekiyordu ama buradan gitme fikri fena halde korkutuyordu bizi. Bunca yılın rahat, asude hayatından sonra ikimizin de bir yerlerde iş bulması, çalışması gerekecekti. Şiddet dolu kentlere nasıl uyum sağlayacağımız bir yana, er ya da geç Lara'nın izine rastlayacak olan kocasından nasıl korunacaktık.

Bunları düşününce, yılanlara rağmen adada kalmaya karar veriyor ama ertesi gün buranın da yaşanmaz olduğu düşüncesine kapılıyor, böylece günlerimizi tereddüt içinde geçiriyorduk.

Bir akşam bu kaygılarımızı Yazar'la da paylaştık, onun ne düşündüğünü sorduk. Yavaş yavaş bir nefret halkasıyla çevrelenmiş bulunan arkadaşımız acaba bu felaketler adasını terk etmek ve anavatana geri dönmek ister miydi?

O andaki yüz ifaden hiç aklımdan çıkmıyor aziz dostum. Gözlerinde kaygı bulutları dolaşıyordu. Uzun uzun düşünmüş, sonra bir sır sandığının kapağını aralar gibi, "Ben oraya dönemem!" demiştin.

Bunu o kadar kaygılı bir ses tonuyla söylemiştin ki, bu "dönememe" durumunun son derece ciddi bir olaydan kaynaklandığını anlamıştık ikimiz de. Sonra eklemiştin: "Oraya dönersem beni yaşatmazlar."

Sanki daha sonra olacakları sezmiş gibi içim ürpermişti. Yüzüne öyle bir endişeyle bakmış olmalıyım ki işi şakaya vurup, "Hadi canım, o kadar da büyütme," demiştin. "Şimdilik buradayız işte. Güvenlik içinde Başkan'ın adamları ve yılanlarla koyun koyuna yaşıyoruz. Hangisi daha tehlikeli, bilemiyorum ama..."

Söylediğin bu sözler değil de gülüşündeki acılık etkilemişti beni.

Son günlerde adamızı çevreleyen deniz bile gözüme korkutucu görünmeye başlamıştı. Eskiden kıyıya oturup zevkle seyrettiğim gelgitler, yedi dalgadan birinin büyük olduğunu sayma oyunları şimdi içimi ürpertiyor; denizin salınışında da bir zalimlik, bir tehdit seziyordum. İçimdeki kaygı dozu arttıkça, ben de denizin pırıltılı yüzeyini değil, karanlık derinliklerini düşünmeye başlamıştım. Aynı denizde, aynı çevre koşullarında yaşayan köpekbalıklarının kötü, yunusların iyi olmasını neyle açıklayabilirdik? Aslında köpekbalığı neye göre kötü, yunus neye göre iyiydi? Belki de iyilik ve kötülük diye bir şey yoktu.

"Ah!" dedim Lara'ya, "sevgilim ben artık şaşkınım, hiçbir şeyden eskisi kadar emin değilim, ne kendime güvenebiliyorum ne yazdıklarıma. Bu hayatta beni değerli kılan tek şey, seninle birlikte olmam. Başka bir önemim ve değerim yok."

Bir gözyaşı, zevk ve şefkat cibinliğiyle örtülmüş gibi birbirimize sarıldığımız anlar, gerçekten de yaşamımın en –belki de tek– değerli anlarıydı.

Yazar'ın hayatındaki en büyük eksiklik, Lara gibi bir kadınla birlikte yaşamıyor olmasıydı. Ona çok acıyordum, hiç mi âşık olmamıştı acaba, sevdiği biri yok muydu? Onca yakınlığımıza rağmen bu konulara giremeyeceğimi, ona böyle sorular soramayacağımı hissediyor ve susuyordum.

O gün söylediği bir-iki cümle bile olağanüstü bir iç dökme sayılmalıydı.

Hayat her zaman insanı şaşırtmaya devam ediyordu. O bunalım günlerinin birinde bakkalın oğlu umulmadık bir hareket yaparak eve gelip kapıyı çaldı. Sonra beni elimden tutarak dışarıya çekti, bir yere götürmeye başladı. O kadar şaşırmıştım ki ne diyeceğimi bilemedim, o kambur çocuğun, eli elimde beni istediği gibi yönlendirmesine izin verdim. Bir yandan da içimi dehşetli bir merak kapladı. Ama çocuğun beni çeke çeke bakkalın arkasındaki kümese götürdüğünü görünce, herhalde martılarını göstermek istiyor diye düşündüm.

Gerçekten de öyle oldu ama dahası varmış meğer. Çocuk kümesin kapısını açtı, biraz palazlanmış iki martı yavrusunu eline aldı, kümesin kapısını özenle kapadı ve biz yine yola koyulduk. Fıstık çamlarının bittiği yerin ucundaki yarın başına geldiğimizde, elindeki martılardan birini bana verdi. Sanki bir bebek tutuyormuş gibi acemi bir tavırla, kuşu iki elimle kavradım. Sıcaktı ve hızlı kalp atışlarını duyabiliyordum.

Çocuk yüzüme baktı ve elindeki yavruyu yavaşça boşluğa bıraktı. Yavru kuş neye uğradığını şaşırdı, uçmakta güçlük çekiyordu. Kanatlarını acemice çırparak, birkaç metre aşağıdaki bir kayaya kondu.

Yanı başında durduğumuz yar çok yüksekti. Aşağıda dalgaların kayalara çarpıp köpük köpük patladığını görüyorduk. Ayaklarımın ıslak otlarda kaydığını hissettim, bacaklarımın arasından mideme doğru bir korku duygusu yükseldi, biraz geri durdum. Çocuk ise büyük bir neşeyle uçurumun tam kenarında durmaya ve uçmaya çalışan yavruyu hayranlıkla seyretmeye devam ediyordu. Yüzünde daha önce böyle bir mutluluk ifadesi görmemiştim hiç.

Çocuğun bana işaret etmesi üzerine ben de elimdeki sıcak gövdeyi boşluğa bıraktım. O da aynı biçimde acemi kanat çırpışlarıyla bir kayaya kondu. Sonra ikisi de o kayadan ayrılıp, büyük bir çaba harcayarak birkaç metre daha uçtu, biraz bekleyip aynı hareketi tekrarladı.

Çocuğun yüzüne, müthiş aydınlık bir gülümseme yayılmıştı. Hatta o sevinç içinde kendisinden hiç beklenmeyen bir hareket yaparak elimi tuttu. O sırada, diğer martılar bu iki yavruyu fark edip geldi, onların uçuşuna yardım etmek ister gibi çevrelerinde dönmeye başladı. Sevinç çığlıkları atıyorlar gibi geldi bana. Bu manzara çocuğu daha da sevindirdi, elini ağzına kapatarak gülüyor, sarsılıyor, sevincini dışa vurmak için olmadık tuhaf hareketler yapıyordu.

Kuşları uçurma törenine beni, yani sırrını bilen ama kimseye söylemeyen tek kişiyi davet etmesi içimi sızlattı. Yavrulara hayat vermenin mutluluğunu yaşıyor, sevincini benimle paylaşarak çoğaltıyordu. Belki de iyilik denilen şey... hayır hayır, bunları düşünmeyeceğime söz vermiştim kendi kendime.

154   Bu küçük sevinci yaşadığım günün tek tatsızlığı, martı kıyısındaki tenhalığı, martı sayısındaki dramatik düşüşü görmek olmuştu. Eskiden beyaz kuşlarla tıklım tıklım dolu olan uzun kıyı, şimdi yer yer öbeklenmiş az sayıda martıyla pek hüzünlü görünüyordu. Belli ki, giderek çoğalan tilkiler, yumurtaları çala çala adada martı bırakmayacaktı!

O ne şatafattı, o ne karşılamaydı öyle. Bütün dertlerimizi sona erdirecek, bizi belalardan kurtaracak olan uzman gelecek diye, yollarına bir gül dökmediğimiz kalmıştı. Uzun ömründe pek çok övgü aldığı tahmin edilebilecek başarılı uzmanı bile şaşırtacak bir karşılama töreni olmuştu bu.

Vapur körfeze demirlediğinde, ada halkı, birkaç eksiğiyle iskelede yerini almış bulunuyordu. İnsanlar, bu önemli adamı görmek için gözlerini zorluyor, daha tedbirli davranıp dürbün getirmiş olanlardan yardım istemek için fırsat kolluyor ve bu ayrıcalığa sahip olan komşulara sorup duruyordu:

"Görüyor musun?"

"Nasıl bir adam?"

"Neye benziyor?"

Yakınımdaki dürbünlü bir komşumuzun, bu heyecanlı sorulara verdiği cevapları duyuyordum. "Evet, görüyorum," diyordu, "şimdi vapurun merdiveninden indi, motora biniyor. Çevresindeki herkesten daha uzun, hasır bir şapkası var, güneş gözlüğü takmış. İnce bir adam, uzun hem de çok uzun."

"Yapma yahu, şu dürbünü bir saniyeliğine versene."

Daha önce adaya gelen hiç kimse, hatta Başkan bile böylesine büyük bir heyecan uyandırmamıştı. Çünkü bir hafta boyunca, sabırsızlıkla kurtarıcısını bekleyen ada halkı birbirine ne hikâyeler anlatmıştı, ne hikâyeler.

Uzman, çekirge baskınına uğrayan bir tarım bölgesini, buğdayları yakmak zorunda kalmadan bu beladan kurtarmıştı. Bir başka seferinde, taşan bir nehrin yatağını değiştirmek gibi bir mucize göstererek, korku içindeki bir kasabanın mutlak bir sel felaketini atlatmasını başarmıştı. Hatta daha ileri giderek, uzmanın hayvanlarla anlaşmak için özel bir dil geliştirdiğini, yıldırımları avucuna hapsettiğini söyleyenlere bile rastlanmıştı.

Dünyayla doğru dürüst bağlantısı olmayan bir adada, bu haberleri nereden duyuyor, nereden öğreniyorlardı bilinmez ama hepsi de söylediğinden son derece emin olduğuna göre bir bildikleri vardı kuşkusuz.

Böyle şeylerden nefret eden ve iyice inzivaya çekilen Yazar'ın orada olmadığını söylemeye gerek bile duymuyorum ama ilginç olan, Başkan'ın da bu karşılama töreninde hazır bulunmamasıydı. Herhalde otoritesinin bozulmaması için gelmemişti. Belki de adalıların uzmana gösterdiği ilgiyi kıskanıyordu. Ne de olsa adanın başkanıydı o, yeni gelenin Başkan'a ziyarette bulunması gerekirdi; değil mi ama!

Motor yaklaştıkça, dürbünlü komşularımızın söylediğini doğrular biçimde, ayakta duran çok uzun bir adam silueti belirdi. Neredeyse, Rosinante yerine deniz motoruna binmiş bir Don Quijote gibi yaklaşıyordu bize doğru. Daha motor iskeleye tam yanaşmadan halkın alkışları başladı. O da bu sevgi gösterisini bir baş selamı ve hafif bir gülümsemeyle kabul etti. Sonra çevik bir hareketle iskeleye atladı, herkesle el sıkıştı. Komşularımız zevkten bayılacak gibiydi. Adamın herkese tepeden bakmasını sağlayan iki metreye yaklaştığını tahmin ettiğim boyu, adada göstereceği mucizelerin de bir ön kanıtıymış gibi adalılar sevinç içindeydi. İşte nihayet gelmişti kurtarıcımız; dertlerimizi sona erdirecek olan uzun adam iskelemize ayak basmıştı.

Herkes uzmanı evinde konuk etmek istemişti ama bu şeref, bahçesinde ayrıca bir müştemilat bulunan 9 Numara'ya verilmişti.

Adaya ayak basan uzmanın etkili bir konuşma yapacağını sanıyor, bunu heyecanla bekliyorduk ama ne yazık ki o sessiz kalmayı tercih etti, el sıkışma töreni bittikten sonra Başkan'ın adamlarıyla birlikte onu ziyarete gitti. Bu suskun hali efsaneyi daha da büyütmüş, onun gerçekten önemli bir adam olduğu yönündeki kanıları güçlendirmişti. Baksanıza, adam kendini övmek ya da kabul ettirmek için hiçbir şey söylemiyor, sadece hafifçe gülümsemekle yetiniyordu. Adamıza gelmekle bize bir ayrıcalık tanıdığı, bir hediye verdiği duygusu uyandırıyordu.

Uzman bu suskunluğunu adada kaldığı bir hafta boyunca sürdürdü, ancak çok önemli gördüğü bir-iki talimat konusunda ağzını açtı. Bu da kendisine duyulan saygının derinleşerek artmasına neden oldu.

Başkan'la neler konuştuğunu bilemeyiz tabii ama o gün öğleden sonra talimatlar yağmaya başladı. Başkan'ın adamları uzmanın emrine girmiş gibiydi. Bize fazla vaktimizin olmadığını söylediler; o hafta herkesin, sıkı bir çalışma yaparak adanın çeşitli yerlerine birtakım uzun direkler dikmek zorunda olduğu bildirildi. Tam zamanında bitirilmesi gereken bir işti bu, vakit kaybına tahammül edilemezdi.

Bu direklerin nasıl dikileceği ve neye yarayacağı konusunda hiçbir fikrimiz yoktu ama bu durum ertesi sabah herkesin delice çalışmaya başlamasını engellemedi. Ne de olsa önce para alan dünya çapındaki uzman tepenin başında durmuş, ağzının içinde anlaşılmaz birkaç kelime mırıldanmak dışında konuşmadan, uzun parmaklarıyla yapılacak işleri gösterip duruyordu.

Adalılar kan ter içinde ormandan ağaç kesmeye, yontmaya, bu kütükleri oradan oraya taşımaya başladı. Bu kez en büyük yardımcıları Başkan'ın adamlarıydı. Adaya yeni geldikleri zaman güzelim ağaçlarımızı budamakta gösterdikleri maharet şimdi de sergiliyor, adalılarla omuz omuza çalışıyorlardı. Artık o göklere ser çekmiş ağaçların birbirine giren dallarıyla oluşturduğu yeşil, serin gölgeliği hatırlayan bile yoktu.

İyi ama bu hummalı çalışma, kesilen bunca ağaç, üstlerine konan küçük tahta platformlar ve bu direklerin bin bir güçlükle dikilmesi ne işe yarayacaktı? Niçin yapılıyordu bütün bunlar? Zaten yılların rehavetiyle çalışma kavramını bile neredeyse unutmuş olan adalılar, içine birdenbire girdikleri öldürücü çalışma temposuyla burunlarından ter damlarken, hoşnutsuzca birtakım soruları dillendirmeye başladı. Bu hava aniden yayıldı, herkes "Niye çalışıyoruz? Bütün bunlar ne işe yarayacak?" demeye başladı. İçimizden en gözü pek olanlar gidip yarı kapalı gözlerle çalışmaları izlemekte olan uzmana bu soruları sordu.

Uzman önce sorulanları duymazmış ya da cevap vermeye değmezmiş gibi davrandı ama sorgucuların çevresindeki kalabalığın büyüdüğünü ve işi bırakan bütün adalıların toplanmakta olduğunu görünce lütfen ağzını açarak, anlaşılır anlaşılmaz bir biçimde "Leylekler!" dedi. Sonra da arkasını dönüp uzaklaştı. Kimse de onu durdurmaya cesaret edemedi, bana kalırsa adamın uzun boyu herkesi etkilemeye devam ediyordu.

"Ne dedi?" diye sordu herkes birbirine.

"Ne dedi?"

"Galiba, leylekler dedi."

"Peki ne anlama geliyor bu?"

"Leylek, martı, yılan, tilki... Ne gibi bir ilişki olabilir ki aralarında?"

Komşularımız kendilerini bu oyuna iyice kaptırıp bulmacayı çözmeye çalışıyorlardı.

Sonunda biri, "Leylekler yılan avlar!" demeyi akıl edebildi.

"Eee?"

"Eeeesi var mı birader, adada leylek olsa yılan kalmaz."

"Peki uzman adaya leylek mi getirecek? Nasıl başaracak ki bunu?"

"Leylekleri anladık da bu direkleri niye dikiyoruz?"

O sırada söze karışan Lara, "Leylekler için!" dedi. "Anlamıyor musunuz, leylekler direklerin tepesine yuva kurmaz mı, onlara yuva hazırlıyor."

"Doğru, bak bunu hiç düşünmedik. Peki leylekleri nasıl getirecek buraya. Davetiye mi gönderecek?"

Noter, "Tamam, ben anladım durumu!" diyerek konuşmayı sonlandırdı. "Tam zamanında yetişmesi lazım, bir hafta içinde bütün direkleri dikmeliyiz diyorlar ya, bunun bir anlamı var. Her yıl bu mevsimde leylekler güneye göç etmiyor mu?"

"Ediyorlar, adanın üstünden uçup gidiyorlar."

"İşte galiba uzman onlara yuvalar hazırlayarak, bizim adamıza inmelerini sağlayacak."

Bu cevap üzerine, Lara dışında herkesin yüzünün aydınlandığını gördük. Nihayet çözülmüştü mesele. Adamıza leylekler gelecek, yılanları avlayacak ve bizi bu beladan kurtaracaktı. Gökyüzünden aşağı bakacak leyleklerin, orada kendileri için hazırlanmış birtakım yuvalar görerek aşağı ineceğine pek aklım yatmadı ama diğer itirazlarım gibi bunu da saklı tutmayı uygun gördüm. Hem koskoca uzmanın bir bildiği vardı herhalde.

Sırrı çözen ada halkı daha büyük bir şevkle çalışmaya ve leyleklere yer hazırlamaya koyuldu. Dikilen uzun direklerin üstündeki platformlara, sarmaşıklardan yapılan yuvalar yerleştiriliyor, böylece bir anlamda belki de dünyanın tek leylek oteli hazırlanıyordu. Böyle söyleyince kulağa çılgınca geliyordu ama neden olmasındı ki, bu dünyada nice acayipliklere rastlanıyordu.

O akşam tam biz bu işin olup olamayacağını konuşuyorduk ki Yazar pat diye çıkıp gelmesin mi! Bu onuru neye borçlu olduğumuzu bilemeden onu heyecanla karşıladık. Lara da onu çok özlemişti, çünkü araları çok iyiydi, birçok konuda pek anlaşırlardı ama son zamanlarda Yazar sanki bize de cephe almış gibi ne geliyor, ne arayıp soruyordu. Biz de onu aradığımız zaman bulamıyorduk. Neyse, şimdi bahçemizdeydi işte, gelişiyle bizi sevince boğmuştu.

"Yardımınıza ihtiyacım var çocuklar?" dedi.

"Elbette," dedik, "ne yapabiliriz?"

"Bu sersemler şimdi de uzman denilen sahtekârın peşine takıldılar. Direk dikilecekmiş de, sözümona leylekler gelip konacaklarmış da... Yine büyük bir hayal kırıklığına uğrayacaklar."

"Bence de öyle," dedi Lara, "hayatımda bundan daha saçma bir proje duymadım. Ama herkes öyle bir inandı ki, uyarı filan dinleyecek halleri yok."

"Olsun," dedi Yazar, "biz yine uyarımızı yapalım. Dinlemezlerse dinlemesinler ama zaten kısa süre sonra kimin haklı olduğu ortaya çıkar."

"Bugüne kadarki uyarılardan ve başlarına gelenlerden pek ders almadılar ama," diye söze karıştım. Yine de onun için ne yapabileceğimizi sordum.

Bir bildiri hazırlamıştı, bunu el yazısıyla çoğaltıp bütün evlere bırakmamızı istiyordu.

Bu işin faydasına pek inanmasam da onu kıramayacağım için hemen kaleme kâğıda sarıldım, Lara da inci gibi yazısıyla döktürmeye başladı.

"Sevgili adalı komşularımız," diye başlıyordu duyuru ve onlara eski günleri hatırlatmaya çalışıyordu. Acaba eski mutlu günlerimizi hatırlayanlar var mıydı hâlâ aramızda. Yoksa herkes toptan belleğini mi yitirmişti? Hani o kimsenin kimseye karışmadığı, dostluk havası içinde yaşadığımız, müzisyen arkadaşlarımızın doğanın seslerine karışan flüt ve gitarını dinlediğimiz, bazı akşamlar buluştuğumuz çardak altında bakkalın hazırladığı balıklara eşlik eden beyaz şarapları yuvarladığımız, sohbet ettiğimiz günler. Martılarla hiçbir sorunumuzun olmadığı huzur dönemi. Bunu hatırlayan var mıydı hiç? Başkan'ın gelişiyle adada bütün dengelerin bozulduğunu görmemek için kör olmak gerekirdi.

"Ben haklı çıktım demek istemezdim ama bundan sonra söylediklerime kulak verirsiniz diye haklılığımı bir kez daha vurgulamak istiyorum," diyordu ilerleyen satırlarda. "Eğer bu adamın çılgın fikirlerine kulak vermeye devam ederseniz yeni felaketlerle karşılaşmamız kaçınılmazdır. Göreceksiniz ki bu uzman meselesi de bir fiyaskoyla sonuçlanacak. Belki o gün bana hak verecek ve Başkan denilen adama karşı birleşmemizin ve onu adadan göndermemizin ne kadar önemli olduğunu anlayacaksınız."

Duyuru şu iddialı cümlelerle bitiyordu: "Ben bu girişimi bir fırsat, kendim için de bir sınav olarak görüyorum. Önümüzdeki günlerde eğer Başkan haklı çıkar da uzman bu işi başarabilirse, bütün söylediklerimi geri almaya ve Başkan'ın önünde diz çökerek özür dilemeye hazırım. Ama eğer ben haklı çıkarsam lütfen aklımızı başımıza toplayalım ve bu adamın yeni çılgınlıklarına engel olmak için onu adamızdan kovalım."

Bu duyuruyu el yazısıyla çoğalttık, sonra üçümüz de birer tomar kâğıt alarak evlere dağıttık; Başkan'ın evi hariç elbette. Çünkü o silahlı adamlara gidip bu duyuruyu vermek hiç de akıl kârı olmazdı. Buna rağmen bu duyurunun Başkan'ın eline geçeceğinden emindik. Nasıl olsa 1 Numara gibiler hemen ulaştırırdı.

O günlerin ilginç olaylarından biri de bakkalın oğlunun içimi acıtan gözyaşlarıydı. Çocuk bir sabah kümese geldiğinde, tavukların toplu bir katliama kurban gittiğini görmenin dehşetini yaşamıştı. Kümes telinin altından toprağı kazan tilkiler, kümeste canlı namına bir şey bırakmamıştı. Hepsini götüremedikleri için, boğazlanarak öldürülmüş tavuklarla doluydu ortalık. Çocuğun gözyaşları günlerce dinmek bilmedi.

Bir hafta sonra hummalı çalışma bitmiş, adanın kuzey kıyısına bir sürü direk dikilmişti. Artık leyleklerin gelmesini beklemekten başka yapacak iş yoktu.

Uzmanın adaya gelişinin tam haftasıydı. O gün gelecek olan vapuru gözleyen bir-iki komşu, çok uzakta leylek olabilecek bazı kuşlar fark etmişti. Bu haber üzerine hepimiz adanın kuzey kıyısına toplandık. Yaklaşan kuşların leylek olup olmadığını tartışmaya koyulduk ama uzman, kemikli işaretparmağını dudaklarına götürerek sessiz olmamızı işaret etti. Bunun üzerine derin bir sessizliğe gömüldük.

Kuşlar yaklaştıkça gerçekten de bir leylek sürüsü olduklarını anladık. Geniş kanatları, ince gövdeleriyle iyice seçilir hale geldiklerinde adadaki heyecan son haddi bulmuştu. Leylekler yaklaştı, yaklaştı ve karşımızdaki ıssız adaya kondu. Ada o kadar yakındı ki kuşların kanatlarındaki yorgunluğu bile fark edebiliyorduk.

Şaşkın şaşkın birbirimize baktık. Niye onlar için hazırlanmış yuvalara konmamışlardı acaba? Öteki adada bir süre dinlendikten sonra buraya gelirler miydi? Derken aramızda fısıltılar başladı. Herkes birbirinin kulağına, belki de insan kalabalığı gördükleri için gelmediklerini fısıldıyordu. Bunun üzerine sessizce dağıldık. Çam fıstıkları tepesine gidip, olup biteni oradan izlemeye başladık.

Leylekler karşı adada yürüyor, su içiyor, bazıları gagalarıyla kanatlarının altını kaşıyordu. Sonra yine havalandıklarını gördük. Gökyüzüne yükseldiler, adamızın tam üstüne geldiler. Başımızı kaldırmış, onların her hareketini izliyorduk. Adanın üstünde birkaç kere döndüler, bizim de başımız onlarla birlikte dönüyordu. Hepimiz nefesimizi tutmuştuk. Tam boyunlarımız tutulmak üzereydi ki leyleklerin güneye doğru yollarına devam ettiklerini görme bahtsızlığına uğradık. Sürü halinde uçup gittiler, biz de arkalarından kırık kalplerle bakakaldık. Güney ufkunda gözden yitip gidene kadar seyrettik onları. Sonra hiçbir umudumuz kalmadı. Derin bir utanca gömülerek birbirimizin yüzüne bakamaz hale geldik.

O sırada biri uzmanın nerede olduğunu sordu. Bunun üzerine herkes canlandı, uzmanı bulup hesap sormak için yakıcı bir ihtiras duymaya başladı ama uzman ortalarda görünmüyordu. Köşe bucak o uzun adamı aramaya koyulduk, iskeleye kadar gittik.

Vapur demir almış gidiyordu, leylekleri gözlerken ne vapuru hatırlamıştık ne de başka bir şeyi.

Acı haberi bakkal verdi: Biz gözlerimizi gökyüzüne dikmiş durumda aval aval bakınırken uzman motora binip vapura gitmişti ve gördüğümüz gibi vapur da demir almış ayrılıyordu adadan. Bakkala çıkışanlara, zavallı adam, "Ne bileyim adamı durdurmak istediğinizi," diye mantıklı bir cevap verince akan sular kesildi.

Uzman herhalde güvertede hem paralarını sayıyor hem de bir sonraki durakta göstereceği mucizeleri bekleyen insanları düşünüyordu. Kısacası, onu elimizden kaçırmıştık. Lanetli adamızda, alacalı bulacalı zehirli yılanlarımızla birlikte yaşamaya devam edecektik.

Hayal kırıklığının şiddetinden çoğumuzun vücudu ağrıyordu. Bu olayı takip eden günlerde kimsenin ağzını bıçaklar açmadı. Herkes bir köşeye çekilip somurttu. Birkaç gün sonra konuşmaya başlandığında ise tek bir konu vardı:

"Ben bu adamın bir şey beceremeyeceğini anlamıştım zaten!"

"Madem anladın, niye söylemedin?"

"Ne bileyim, öyle bir boy vardı ki adamda."

"Mesele boysa, devede de var!"

"Evet evet! Tam da onu diyorum. Deve büyük, ot yer; şahin küçük, et yer!"

"Ne kadar safmışız yahu! Nasıl inandık adama!"

"Öyle deme... İnanmayıp da ne yapsaydık."

"Doğru söylüyorsun, kime inansaydık başka?"

"Evet, bizi kurtaracak, doğru yolu gösterecek kimse yok ki!

"Başkan ne yapsın? Adam tek başına bir sürü sorunla uğraşıyor."

"Birlik ve beraberliğin en önemli olduğu bugünlerde bile ona zorluk çıkaranlar, eleştirmek için fırsat kollayanlar boş durmuyor."

"Yok yok, Başkan'ın da ne dediği, ne yapacağı belli olmuyor. Ona da güvenilmiyor."

"Ama ondan başka hiç kimse bir şeyler yapmak için uğraşmıyor ki!"

"Haklısın, bir kötü sonuç alınınca herkes konuşup duruyor."

Kulak misafiri olduğum bu konuşulanlar, insanoğlunu anlama yolundaki bütün çabalarımın boşuna olduğunu gösteriyordu bana.

Bunca zamandan ve korkunç olaydan sonra düşününce, adadaki son gecende, seninle sadece edebiyat konuşmuş olduğumuza inanamıyorum. Ama o gecenin, adadaki son gecen olduğunu bilmemize imkân yoktu elbette. Önümüzde böyle çok geceler ve gündüzler olduğuna inanıyorduk.

O gece bana, anlatı sanatıyla ilgili bilmem gereken en can alıcı sözünü söylemiştin: "Bırak psikoloji, karakter, insan ilişkileri, eylemlerden çıksın," demiştin. "Kelimeleri güzelleştirerek ya da şiddetlendirerek, güzel tasvirlerle insan hallerini anlatmaya kalkma. Sen eylemi anlat, gerisini okur kafasında tamamlasın. Aristo da böyle demişti."

"Bir örnek versene," demem üzerine de bana halk hikâyelerinin birinden şu ölümsüz meseli aktarmıştın.

"Eski çağlarda bir delikanlı, insanların dişlerini de tedavi eden bir hekiminin kızına âşıktır. Sırf kızı görebilmek için oraya gider delikanlı ve sevgilisinin yüzüne bakarak otuz iki sağlam dişini çektirir. Şimdi bu eylem üzerine hangi sevda sözlerini ekleyebilirsin ki. Hepsi zayıf kalır."

Meğer biz bunları konuşurken Başkan, adamlarıyla birlikte sana vuracağı son darbeyi hazırlıyormuş. Aslında o akşam Köpekbalığı'nın bir şeyler yapmaya mecbur olduğunu hissetmiyor değildik. Çünkü leylek fiyaskosundan ve uzmanın adadan kaçmasından sonra, Başkan kötü duruma düşmüştü. Adadaki otoritesi sarsılıyor, yılanlarla birlikte yaşamak zorunda kalan insanları kendisine inandırmakta güçlük çekiyordu. Yeni bir eylem planladığına kuşku yoktu ama bunu nasıl kabul ettirecekti acaba?

O geceyi çok huzursuz geçirdim. Önsezi denilen şey gerçekten doğru galiba. İnsan bazı kötü şeylerin olabileceğini önceden hissedebiliyor. Yatakta sıkıntıyla dönüp dururken Lara, "Neyin var?" diye sordu. "Yok bir şey," desem de beni iyi tanıdığı için ısrar etti. İçimdeki sıkıntıyı anlattım. Yüreğim bir kuş gibi çırpınıyordu. Bunun üzerine Lara, kendisinin de aynı durumda olduğunu söyledi. Meğer ikimiz de birbirimize söylemediğimiz karanlık önsezilerle boğuşup duruyormuşuz.

Kalktık, yılan korkusuna bile boş vererek bahçede oturduk. Birbirimizi yatıştırmaya çalıştık ama nafile, ne yaptıysak fayda etmedi, heyecanımızı yatıştırmayı başaramadık. Bu arada yaseminler düzenli aralıklarla parfümlerini püskürtmeye devam ediyordu ama bizim onlarla avunacak halimiz kalmamıştı artık. Geleceğimizi planlamamız gerekiyordu. O korkutucu, belirsiz geleceğimizi...

Ertesi sabah evlerimize dağıtılan bir duyuru, akşamüstü çardak altında toplanmamız gerektiğini bildiriyordu. Kâğıdı aldığımızda, geceki önsezilerimizin boşuna olmadığını anlamıştık zaten. Ama şimdi anlatacağım olayları tahmin etmemize olanak yoktu ki.

Başkan, uzmanın hepimizi dolandırmasından duyduğu derin üzüntüyü belirterek girdi konuya. Bu devirde hiç kimseye güven olmuyordu, ahlak son derece bozulmuştu. İşte gözlerimizle görmüştük, kendisine tavsiye edilen uzman da sahtekâr çıkmış ve yılanlara karşı hiçbir çözüm bulamadan adadan kaçmıştı. Adalıların zararını kendi cebinden karşılamaya hazırdı, falan filan. Bütün bu sözleri zerre kadar inanmadan dinliyorduk.

Sonra Başkan yeni planını açıkladı: Mademki yılan meselesi çözülememişti, o zaman geri kalan tek çareye başvuracak ve adadaki tilki sayısını azaltacaktık. İlk zamanlarda adaya yararlı olan ve büyük hizmetleri dokunan tilkiler zamanla aşırı çoğaldığı için artık yarardan çok zarar veriyordu. Onların sayısını azaltmak ve böylece martı sayısını bir miktar çoğaltmak, adadaki dengeyi tekrar yerine getirebilir, yılan meselesinin çözümüne yardımcı olabilirdi.

Konuşmanın burasında Lara'nın elini sıktım. Demek ki silahlar yine ortaya çıkacak, artık hepsi birer avcı haline dönüşmüş olan eskinin sakin adalıları, tam teçhizat tilki avı düzenleyeceklerdi.

Başkan ertesi sabah herkesin silahlı olarak iskelede buluşması talimatını verdikten sonra, "Şimdi gelelim başka bir meseleye," dedi. "Arkadaşlar, bu uzak adayı güvenlik nedeniyle tercih ettiğimi, ülkeme hizmetle geçirdiğim onca yıldan sonra teröristlerden uzak bir köşede yaşamak istediğimi hatırlıyorsunuz."

Birkaç kişi evet anlamında başını salladı. Biz kulak kesildik, acaba şimdi sözü nereye getirmek istiyordu.

"Ama ne yazık ki arkadaşlar, bunu başaramadım. Ülkenin ve rejimin azılı düşmanları burada da karşıma çıktı."

Birbirimize baktık, acaba ne demek istiyordu, bunun altından, ne gibi bir bela baş gösterecekti?

Tam bu sırada Lara'nın "Olamaz!" diye mırıldandığını duydum ve onun baktığı yöne çevirdim başımı. Başkan'ın iki adamı, ellerine kelepçe vurdukları Yazar'ı çardak altına getiriyordu. Hemen yerimden fırladım, o tarafa gitmek istedim ama Başkan, "Oturun yerinize. Söyleyeceklerimi dinleyin, sonra ne isterseniz yapın," dedi.

"Arkadaşlar, güzel adanıza geldiğim günlerde iskelede hep birlikte fotoğraf çektirdiğimizi hatırlıyor musunuz? İşte o fotoğraflar başkentimizde bilgisayarlara yüklendi, tarama yapıldı; böylece sözde yazar olan arkadaşın müthiş sırrı ortaya çıktı. Bu kişi, askeri hapishaneden firar etmiş siyasi bir mahkûmdur, bir rejim düşmanıdır, adını değiştirerek adanıza sığınmış, hepinizi kandırmıştır."

Bu sözler üzerine herkes dönüp Yazar'ın yüzüne baktı ama o hiçbir şey söylemeden Başkan'a hınçla bakıp duruyordu.

"Öyle değil mi sayın Yazar?" diye alaycı bir ifadeyle sordu Başkan. "Daha ne marifetleriniz olduğunu anlatayım mı, yoksa bu kadar yeter mi? Eşinizin de sizin gibi bir bozguncu olduğunu ve cezaevinde intihar ettiğini siz mi söyleyeceksiniz yoksa ben mi anlatayım."

O anda yüreğimde müthiş bir acı hissettim, belli ki Başkan'ın sözleri doğruydu. Yazar'ın gözlerindeki hüzünlü ifadeyi oluşturan sır buydu. Bu işlerle hiç ilgilenmeyen ben bile biliyordum ki, cezaevinde intihar, tartışmalı bir konuydu. O baskıcı yasalara göre bile ceza verilemeyecek, haklarında bir suç kanıtı bulunamamış muhaliflerin, cezaevlerinde öldürüldükten sora intihar ettiklerinin açıklandığını duyuyordum. Elbette gerçekten intihar edenler de oluyormuş. O koşullarda yaşamaktansa...

Lara'nın gözyaşlarına boğulduğunu gördüm.

Başkan, Yazar'ın bu gece gözaltında tutulacağını ve ertesi sabah motorla götürülerek, adalete teslim edileceğini açıkladı.

Şok o kadar büyüktü ki Lara da ben de uyuşmuş gibiydik, kıpırdayamıyorduk. Böyle bir durumda ne yapılabilirdi ki acaba?

Başkan Köpekbalığı, her zamanki küstah, kendinden son derece emin tavrı, ince ve zalim dudaklarıyla korkunç şeyler söylüyordu. Adamızdaki başarısızlıkların sebebinin Yazar olduğunu öne sürüyor, devlet tecrübesine göre toplum moralinin çok önemli olduğunu, bu vatan hainlerinin en çok bu morale saldırdığını sayıp döküyordu.

Sonunda biraz kendimizi toplayıp Lara'yla birlikte ayağa kalkmayı başarabildik.

"Söylediklerinize inanmıyoruz," dedim ben, kendimin de şaştığı büyük bir cesaretle. "Bu adada iyiliği arkadaşımız temsil ediyor, kötülüğü ise siz. Buradaki herkes buna tanıklık edebilir. Adayı bu hale getiren o değil sizsiniz. Siz gelene kadar bu adada…"

Tam bu sırada başımın arkasında bir acı duydum, gözlerim kapandı, içimden bir sıcaklık yükseldi. Sonrasını hatırlamıyorum. Gözlerimi açtığımda başım fena halde ağrıyordu, bilmediğim bir odadaydım, mahzen gibi penceresiz bir yerdi. Kapıyı zorladığımda kilitli olduğunu gördüm, açılmıyordu.

Daha sonra anlattıklarına göre Başkan'ın adamları arkadan kafama tabanca kabzasıyla vurmuş, bayıldıktan sonra da beni sürükleyerek götürmüş, Başkan'ın evinin mahzenine kapatmıştı. Lara'ya vurmamış ama onu da bir yerde gözetim altında tutmuşlar.

Ertesi gün bizi bıraktıklarında Yazar artık yoktu. İskeledeki motorla götürülmüştü, ondan bir daha haber alamadık.

Evet, senden bir daha haber alamadık. Tahmin edeceğin gibi arkandan bir sürü söylenti alıp yürüdü. Benim hain, Lara'nın ise zayıf olarak nitelediği komşular, arkandan atıp tutmaya başladı. Zaten bozguncu olduğunu, adadaki her şeyin senin yüzünden ters gittiğini, daha büyük bir inançla söylüyorlardı. Yani olup biten her şeyden sen sorumlu olmuştun sevgili dostum. Bize artık kimse inanmazdı çünkü Lara da ben de, "suçlu"nun arkadaşları olarak güvenilmezler sınıfına konulmuştuk. Bizimle pek az kişi konuşuyordu.

Bütün bunlara dişimizi sıkarak katlanıyor, sabrediyorduk ama bir gün bu sabır sona erdi ve birinin suratına yumruk attım. Evet, evet ben; yumruk attım. Bu satırları okursan ne kadar şaşıracağını biliyorum, benim gibi biri böyle bir şeyi nasıl yapar? Ne var ki adam, motor açıldıktan sonra seni, ayağına ağır bir demir parçası bağlayıp denize attıklarını söylüyordu. Hem de bunu pek bir üzüntü duymadan, sanki doğru bir işi bildirir gibi anlatıyordu. Güya Başkan'ın adamlarından biri bunu ağzından kaçırmış, oradan da dilden dile yayılmış.

Biz buna hiçbir zaman inanmadık. Senin memlekette bir cezaevinde yattığını hayal etmek bile ölmüş olduğunu düşünmekten iyiydi. Belki bir gün biz de o vapura binip, bu korkunç adadan kurtulurduk; belki seni yine görür, yine konuşurduk, hatta belki sen bu yazılarımdan dolayı tekrar çıkışırdın bana.

Ah sevgili dostum, neredesin, neredesin gerçekten?

O kadar kısa sürede öyle çok söylenti ortaya çıkıyordu ki, artık duyduklarımız bir masala dönüşmeye başlıyordu. Güya sen, motorla götürülürken Başkan'ın adamlarının elinden kurtulup kaçmayı başarmışsın. Bu pek inandırıcı değildi. Denizin ortasında, ellerin kelepçeliyken ve başında o ızbandutlar varken nasıl kaçmış olabilirdin ki.

Yine de durup dururken neden böyle bir söylenti çıksın diye düşünüyorduk. Belki de doğruydu kaçtığın, sadece söylenenlerin ayrıntısında yanlışlık vardı. Belki de deniz yolculuğunda değil de karaya çıktıktan sonra kaçmıştın.

Başkan'ın adamları evini kilitledi ve oraya girilmesini yasakladı. Ne var ki biraz geç kalmışlardı. Lara, herhalde senden bir anı saklamak için evine gittiğinde, elinde bir defterle döndü; senin notlarından oluşan bir defter. Doğrusu şaşırdım, seni bir şeyler yazarken hiç görmemiştim.

Biraz karışık bir defterdi bu. Galiba yazacağın kitapla ilgili, bizim için pek bir şey ifade etmeyen bir bölüm vardı içinde. Ama günlük notların çok ilgimizi çekti. Demek bizimle konuştuğun konuları, eve döndükten sonra da düşünmeye devam etmişsin. Konuştuklarımız, yaşadığımız gelişmeler hakkında notlar almışsın.

Acılı yaşamının tanığı olan satırlarını, aydınlatıcı düşüncelerini derin bir yürek sızısıyla okudum. Her zaman doğruyu söylemek ve uyarmak konusunda kendini mecbur hisseden, tek başına kalmayı göze alan, bir kurtarıcı olmayı değil de onurlu ve güzel bir hareketin içinde yer almayı tercih eden bir yazar olarak yaşama iradeni minnetle andım. Bu kitabı bir gün yayınlamaya, insanlara ulaştırmaya yemin ettim.

Sen gittikten sonra başımıza gelenleri özetlemem gerekirse, yine korkunç şeyler oldu. Başkan ve adamları günlerce süren bir tilki avına çıktılar. Ada silah sesleriyle inledi. Her akşamüstü sanki bir marifetmiş gibi ellerinde ölü tilkilerle dönüyor, ortalığa caka satıyorlardı. Yavru tilkileri de kemerlerine takıyorlardı. Ama tilkiler çoğalmıştı, vura vura bitiremiyorlardı. Hem ormandaki her kayayı, her çalı dibini taramaları olanaksızdı.

Avcılardan birinin yanlışlıkla arkadaşını bacağından yaralamasından sonra, bu işin de çığırından çıktığına karar veren Başkan Köpekbalığı ve adamları, birer canavara dönüştürdükleri adalılarla baş başa verip yepyeni bir teknik denemeye karar verdiler.

Adaya siyanür getirttiler. Bu korkunç zehri, etlere bulaştırıp ormana bırakacak ve tilkileri böyle avlayacaklardı. Dedikleri gibi de yaptılar ve sonuç korkunç oldu. Bu sefer yalnız tilkiler değil, ormanda yaşayan, bu etleri yiyen her tür canlı siyanürden zehirleniyordu. Ada bir ölüm kampına dönmüştü.

Ölü tilkiden, tavşandan, keklikten, kaplumbağadan, serçeden, kurbağadan, sansardan, çakaldan geçilmiyordu. Avcılar her gün onlarca ölü tilki topluyor, getirip iskelenin meydanına yığıyorlardı. Yine de onlara yetmiyordu bu kadar ölüm. Sanki sadece ölüm solur, ölümden medet umar, ölüm konuşur olmuşlardı. Kan görmeden geçirdikleri gün, gün değilmiş gibi, korkunç bir isteri içine girmiş olan bu adamlar, bir zamanlar bizim adamızın o güler yüzlü, sakin, sevecen insanları mıydı, yoksa biz yavaş yavaş aklımızı mı kaçırıyorduk?

Bir gün fıstık çamlarına doğru yürürken, zehirlenmiş bir tilkinin kıvrandığını gördüm. Herhalde zehirli eti yemişti, kendini oradan oraya vuruyordu. Hayatımda bundan daha dayanılmaz bir şeye tanık olduğumu sanmıyorum. Hayvancağız, içi parçalanıyor gibi kıvranıyor, iri kuyruğunun çevresinde dönüp duruyordu. Yüzünde öyle bir acı ifadesi vardı ki, anlatamam sana. Sanki yüzünün derisi çekiliyor, bir türlü kapanamayan, gerilen ağzı dişlerini ortaya çıkarıyordu. Elimde bir silah olsa acısına son vermek için hemen vururdum onu. Ölümü çok uzun ve acılı oldu. Ben de günlerce bu görüntünün etkisinden kurtulamadım.

Bazı komşular da hastalanmıştı. Doktor, zehirden etkilenmiş olduklarını söylüyordu. Başkan'ın da yüzü sararıyor, rengi soluyor gibi geliyordu bize. Bazıları, zehirlenen hayvanların gidip su kaynaklarında öldüğünü, böylece adadaki pınar suyunu da zehirlediklerini öne sürüyordu. Yani hepimiz siyanürlü su içmeye başlamıştık.

Bu arada, senin adaya dönmüş olduğun, ormanda saklandığın, Başkan'ı, adamlarını ve yandaşlarını zehirlemek için gizli eylemler yaptığın da konuşuluyordu. Bu iş için sana yardımcı olan birileri olduğundan kuşkulanıyorlardı. Bize karşı adalıların tutumu iyice tuhaflaşmaya başladı.

Lara da ben de hasta gibiydik. Artık bu adadan kaçmamızın vakti gelmişti de geçiyordu bile. Bir sonraki vapuru bekliyorduk. Pılımızı pırtımızı alıp bu cehennem adasından uzaklara gidecektik. Geceleri, cevabını bulamadığım bin bir soruyla kıvranıp duruyordum. Yatakta, Lara'yı rahatsız etmemek için, kendimi oradan oraya atma isteğine karşı çıkarak saatler boyu düşünüyordum. Sonra bir de fark ediyordum ki o da uyumuyor, bana belli etmemeye çalışarak kendi karanlık düşüncelerinin girdabında yuvarlanıyor.

"Uyanık mısın?" diye fısıldıyordum ona. "Uyanık mısın bir tanem?" Sonra kalkıp bahçeye çıkıyorduk. Gün ağarana kadar nereye gideceğimizi, hangi kente yerleşeceğimizi, ne iş yapacağımızı, nasıl para kazanacağımızı konuşuyorduk. Lara bir garsonluk bulabileceğini, olmazsa evlere temizlik işlerine gidebileceğini söylüyordu. Benim gönlüm bir türlü razı gelmiyordu bunlara. Adada geçen onca huzurlu yılın ardından, o vahşi, acımasız, korkunç dünyaya geri dönme düşüncesi ürpertiyordu beni. Ama Lara haklıydı, artık o vahşi adada yaşayamazdık. Yazık olmuştu gizli cennetimize.

Dönüp dönüp aynı şeyleri düşünüyor, aynı soruları soruyordum: Niye dostumuz kalmamıştı hiç? Yıllardır kardeş gibi yaşadığımız, günümüzü gecemizi paylaştığımız, bir zamanlar melek dediğim insanlar neden birer düşmana dönüşmüştü? Bizim adalılarımız değildi bu yaratıklar. Gözlerine öfke ile kuşku karışımı bir bakış yerleşmişti. Aldıkları kararları bize söylemiyorlardı artık.

Siyanürün diğer canlıları öldürdüğünü görünce bu uygulamadan vazgeçtiler sanırım. Çünkü ortalıkta kulağıma çalınanlara göre, Başkan yeni bir fikrin peşindeydi.

Tilkiler ormanın kuytuluklarında rahatça saklanabildikleri için onları vurmak çok zor oluyordu. Onları dışarı çıkmaya zorlamak için, ormanda kontrollü bir yangın çıkartılacaktı. Yangından kaçan tilkiler kendilerini ormanın dışına vurunca da orada kendilerini bekleyen avcılar tarafından işleri bitirilecekti.

Başkan'a hiç kimse itiraz etmediği için bu plan da uygulandı. Ormanın bir kıyısında, uzaktan bile alevlerini ve dumanını gördüğümüz bir yangın çıkarıldı. Yangın ilerledikçe tilkiler, diğer bütün canlılarla birlikte ormandan çıkıyor, yıldırım gibi kaçıyordu. Avcıların bu kadar hızlı hareket eden hayvanları vurması zordu. Buna rağmen sonsuz bir gayretle ateş ediyor, fişek üstüne fişek yakıyorlardı. Lara evde, kulaklarını elleriyle kapatmış titriyor, ne olduğunu anlamadığım bir şeyler söylüyordu. Sanırım bir sinir krizi geçirmekteydi.

Adalıların bütün nefreti tilkilere yönelmişti artık. Neredeyse martıları bile unutmuşlardı. Hele doktor, tilkinin dünyada en çok kuduz yayan hayvan olduğunu söyledikten sonra adalılardaki korku ve nefret elle tutulur bir hal aldı. Söylediğine göre tilkilerin ısırdığı kedi ve köpekler kuduz oluyor, onlar da korkunç hastalığı insanlara bulaştırıyordu. Olup biteni izlerken, adada kuduzun şimdiden yayılıp yayılmadığı sorusu aklıma düştü. Adalı dostlarımız öylesine büyük bir coşkuyla, öfkeden esrimiş durumda ateş ediyordu ki ancak kudurmuş insanların böyle ateş edebileceğini düşünüyordum.

Bu arada burnumuza bir is kokusu geldi. Sanki çok yakında odun yakılıyordu. Aradan çok geçmeden bahçeye dumanların dolmaya başladığını gördük. Birkaç kişi, "Yangın, yangın, kaçın!" diye bağırıyordu. Bir süre sonra da bize yaklaşan alevlerin sıcaklığı vurdu yüzümüze.

Sevgili dostum, adalılar kendini bu ateş etme, öldürme işine öylesine kaptırmıştı ki, aniden bir meltem gibi çıkan ve gittikçe güçlenen rüzgârı kimse fark etmemişti. Daha doğrusu, fark ettikleri zaman da çok geç olmuş, ormandaki yangın, şiddetli rüzgârın etkisiyle her tarafı kaplamıştı.

Koca orman sanki ağlayarak, çığlık atarak, patlayarak cayır cayır yanıyordu. Canını kurtarabilen hayvanlar kendilerini deli gibi ormanın dışına atarken, bir kısmı da alevlerin arasında kömür oluyordu.

Başkan'ın adamları ve onların aklına uyan adalılar umutsuzca yangını söndürmeye çalıştılar ama artık bunun mümkün olmadığını hepimiz görüyorduk.

Fıstık çamlarımız çatırdayarak yandıktan sonra yangın iskeleye giden yolun iki yanındaki ağaçlara sıçradı, oradan da evlere. Bir yangının bu kadar hızlı yayılabileceğini söyleseler inanmazdım; ne yazık ki öyleymiş. Göz açıp kapayıncaya kadar bütün evler tutuştu. Zaten ahşap oldukları için çıra gibi yandı. Yakıcı alevden, boğucu dumandan kurtulabilmek için evlerden uzağa, deniz kıyısına kaçtık. Oradan bakınca, yangının ilerlediği yöndeki koskoca ağaçların, peş peşe çakılan birer kibrit çöpü gibi, âdeta patlayarak tutuştuğunu görüyorduk.

Adalılar korku dolu gözlerle, içine düştükleri dehşet duygusundan akıllarını kaçıracak hale gelerek evlerinin teker teker yok oluşunu izliyordu. Yapacak hiç ama hiçbir şey yoktu!

Martılar, hepimizle alay eder gibi üstümüzden uçuyor, bu yanıp yıkılmış, kararmış adayı ve artık hiçbir korunağı kalmamış insanları seyrediyordu. O anda saldırsalar, onları hiçbir şekilde durdurmamız mümkün değildi ama hiçbir saldırıda bulunmadılar. Sadece üstümüzde uçmakla yetindiler. Onların kıyısına bir şey olmamıştı. Eskisi gibi üremeye, avlanmaya, yumurtalarını güven içinde beklemeye devam edebilirlerdi. Kısacası onlar kazanmıştı bu savaşı.

Biz kaybedenler ise açıkta yatıyor, yangından kurtulmuş olan sandal sayesinde tutulan balıkları yiyor ve yardım gelmesini bekliyorduk.

Yardım dediğim şey, bir vapurun gelip bizi buradan alıp götürmesiydi. Çünkü artık burada yaşamak istemiyorduk.

Yangının ertesi günü, felaketin tamamını görmek için yarın başında toplandık. Adayı en iyi gören tepe orasıydı çünkü. Hani bakkalın kambur oğlunun martı yavrularını uçurduğu tepe. Gözü yaşlı komşularımızla birlikte içimiz yanarak felaketin büyüklüğünü gördük. Adanın her tarafından siyah dumanlar tütüyordu. Korkunç bir yanık kokusu kaplamıştı ortalığı. Ölülerimizi gömdüğümüz mezarlık dahil olmak üzere, her yer yanmıştı.

Bana hiç inandırıcı gelmiyordu ama ormanda saklanan Yazar'ın da yangın sırasında ölmüş olduğunun konuşulması sinirlerimi iyice bozdu. Çünkü bu sözler, artık umutlarımızın iyice bittiği anlamına geliyordu.

Yazar'ın ormanda yanarak öldüğü söylentisine karşı çıkanlar, ayağına demir bağlanarak denize atıldığını hatırlatıyordu. Ben bu iki söylentiye de inanmıyordum ama neye inanacağımı da bilemiyordum.

Bir süre sonra Başkan ve adamlarının yanımıza geldiğini gördük. Önce karanlık ve kuşkulu bakışlarla bizleri süzdüler. Sonra Başkan bir konuşma yaparak, biraz sonra motorla adadan ayrılacağını, bir daha da buraya ayak basmayacağını açıkladı. Bütün talimatları vermişti, herkesin içi rahat olsundu, bizleri almak üzere gelecek olan vapur yola çıkmıştı bile.

Sebep olduğu felaketten hiç söz etmemesi ve suçluluk duymaması dikkatimi çekti. Bu işlerle ilgisi olmayan bir yabancı gibi konuşuyordu. Galiba, bizi adadan kurtaracak önlemleri aldığı için ona teşekkür etmemizi bile bekliyordu.

Bu sırada Lara'nın konuştuğunu duydum.

"Şimdi gidiyor musunuz sayın Başkan?"

"Evet, biraz sonra!"

"Ama ne yazık ki yenilmiş olarak ayrılıyorsunuz bu adadan!"

"Ne demek yenilmiş?"

"Evet sayın Başkan, söylediklerim çok açık, yenildiniz."

Başkan sinirli bir ses tonuyla, "Kim yenmiş beni küçük hanım?" diye sordu.

"Martılar!" diye cevap verdi Lara, "başınızı kaldırıp bakın, sizinle alay ederek gökyüzünde uçuyorlar ve sizi bu adadan sepetliyorlar."

Gerçekten de martılar hem başımızın üstünde hem de Başkan'ın tam kıyısında durduğu yarın boşluğunda uçup duruyordu. Bu sözler üzerine Başkan Köpekbalığı'nın kan beynine sıçradı.

Bağırmaya başladı: "Ne terbiyesiz bir insansın sen böyle. Bir genç hanım büyüğüne karşı böyle konuşur mu? Martılar beni nasıl yenermiş? Bütün başınıza gelenler sizin beceriksizliğinizden, o yazar bozuntusu gibi anarşistleri dinlemenizden oldu. Ben gidiyorum, ne haliniz varsa görün. Bu ada artık beni ilgilendirmiyor."

Bu sözler üzerine ada halkı ilk kez homurdanmaya, Başkan'a kötü kötü bakmaya başladı.

Ben, "İşte," dedim, "felaket karşınızda duruyor. Her şeye o sebep oldu. Adamızı bu adam mahvetti."

Kalabalıktan bir-iki kişi, "Evet, doğru. Bu adam gelmeden önce her şey iyiydi," diye söylendi.

Noter, "Keşke o uğursuz ayağını bu adaya hiç basmasaydın!" diye bağırdı.

Başkan işlerin kötüye gittiğini görünce panikledi. Tartışmayı yine Lara'ya yönlendirmek istedi.

"Sizde hiç insanlık kalmamış küçük hanım," dedi. "Toplumun can derdine düştüğü anda bile kendi siyasi emelleriniz uğruna provokasyon yapıyorsunuz. Hayatım boyunca sizin gibi bozguncularla çok uğraştım ben. Senin gibilerin ciğerini bilirim ben, ciğerini. Senin de kocanın da o hain yazarın gittiği yeri boylamanız gerekiyor. Hem bu adadaki bütün kararlar demokrasiye uygun olarak alındı. Çoğunluğun oyları neyi işaret ediyorsa onu yaptık. Bu bakımdan kararların altında herkesin imzası var. Hadi şimdi birisi çıkıp öyle olmadığını söylesin, hadi söylesin!"

O anda bana bir şey oldu. Başıma yükselen bir sıcaklık hissettim, yüreğim küt küt atmaya başladı, öfkeden çatallanan bir sesle, "Ben söylüyorum!" dedim. "Ben söylüyorum Köpekbalığı. Ben söylüyorum zalimler zalimi. Her şeyi mahvettikten sonra bir de bize demokrasi masalları anlatmaya çalışma!"

Bu derece öfkeli olmasam, yanaklarım ve kulaklarım yanmasa Başkan'ın yüzünde okuduğum şaşkınlık herhalde güldürürdü beni. Komşular da bir sessizliğe gömülmüş, hayatlarında ilk kez öfkelendiğini, ses çıkardığını, kafa tuttuğunu gördüğü arkadaşlarına hayretle bakıyordu. Yüreğim bir isyan duygusuyla coşuyordu, ölümün üstüne yürümeye hazırdım artık, başım dönüyordu. Bana ne olmuştu böyle?

Başkan, "Sus!" diyerek elini kaldırdı. "Derhal kes sesini! Yoksa seni anandan doğduğuna pişman ederim."

Artık onu iyi tanıyordum. Sinirlendiği zaman incelen sesinin tehdit edici tonunu biliyordum.

Lara benim önüme geçti. "Daha ne yapabilirsin ki?" dedi. "Ne yapabilirsin ki!" Bu kez ben onun önüne geçtim ve aynı sözleri haykırarak tekrarlamaya başladım. Ama tam o anda Başkan'ın Lara'ya ne kadar büyük kötülükler yapabileceği aklıma geldi. Korktum, hem de çok korktum. Şu anda Lara'nın susmasından, bu beladan kurtulmasından başka bir istediğim yoktu. Kendime ne olursa olsun aldırmazdım ama Lara'ya dokunmaları beni çıldırtabilirdi. Biraz önceki cesaretimden eser kalmadı, korkudan yüreğim üşüdü.

Başkan adamlarına dönüp emir verdi. "Şu iki haini devlet başkanına hakaretten ve isyan çıkarmaktan gözaltına alın. Bizimle geliyorlar."

Kara gözlüklü adamlar yaklaştı, önce Lara'nın koluna girdiler, sonra da beni sıkı sıkı tuttular. Çaresizlik içinde komşularımıza göz gezdirdim. Yazar'ın öldürüldüğü söylentileri yayıldıktan sonra, bizi böyle götürmelerine izin verecekler miydi? Bunca yıllık dostlarımız bizi bırakacaklar mıydı? Belki de biraz itiraz etseler kurtarabilirlerdi bizi. Ama ne yazık ki hiçbiriyle göz göze gelemedim. Hepsi başını başka yöne çevirdi.

Ancak o sırada bir şey oldu. Ömrümün belki de en acı ve aynı zamanda da en cesur eylemi gerçekleşti gözlerimin önünde.

Bakkalın kambur oğlu ilk kez duyduğumuz sesiyle martıları bile dehşete düşürecek bir çığlık atarak Başkan'a doğru olanca hızıyla koştu, ona vurdu ve çarpmanın etkisiyle ikisi birlikte yardan aşağı uçtu. İki gövdenin de boşlukta çırpınarak düştüğünü, sonra kayalara çarpıp parçalandığını gördük.

Kanımız donmuştu, gördüklerimize inanamadan yardan aşağı bakıyorduk.

Bakkalın konuşamayan oğlu, aynen intihar bombacısı martılar gibi saldırmış ama onlardan çok daha büyük bir sonuç almıştı. Daha iki gün önce bu yarın başında martı yavrularını nasıl uçurduğumuzu hatırlayınca gözlerimden yaş fışkırdı. Acemi yavruların kayadan kayaya sekerek uçmayı öğrenmeleri gözümün önüne geldi.

O, kimsenin dikkat etmediği, insandan bile sayılmayan, varlığı fark edilmeyen sakat çocuğun sesini ilk kez duyuyorduk ama bu çığlığı duyanların bir daha unutabileceklerini sanmam. Öfke ve isyan yüklü bir çığlıktı bu; dünyanın bütün haksızlıklarına, bütün zulümlerine karşı atılmış müthiş bir çığlık.

O anda bakkalın ve karısının yeri göğü inleten ve yürekleri paralayan feryatları yükseldi.

Başkan'ın adamları, panik içinde ve korkuyla apar topar uzaklaştılar oradan, motora binip süratle adadan ayrıldılar.

Bizler yaralı, kırgın, acılı ve öfkeli bir küçük kalabalık olarak kaldık adada. Ta ki ertesi gün ordu birlikleri gelip hepimizi toplayana ve başkentteki ünlü hapishaneye nakledene dek.

Denizde bir kale gibi duran askeri geminin hücumbotları bizi kafilelerle iskeleden alıp götürdü. Hâki renkte hışır hışır üniforma giymiş, suratları baltayla yontulsa ancak bu şekli alabilecek sert bakışlı askerler, güvertede hepimizi birbirine zincirledi.

Başkan'ın kayalardan toplanan parçaları bir tabut içinde, törenle gemiye getirildi. Subaylar ve onların emrindeki diğer askerler bize öylesine ölümcül bir nefretle bakıyordu ki onlarla göz göze gelmemek için bütün gücümüzü harcıyorduk. Kadın ve erkekleri ayrı ayrı yerlere koydukları için Lara'yı göremiyordum. Sağ elim, 1 Numara'nın eline kelepçelenmişti. Onunla konuşmuyorduk ama aşağıya çökmüş omuzları ve dayak yemiş köpek gibi bakan gözleri, büyük bir pişmanlığı ele veriyordu. Zamanında hiçbir uyarıya kulak vermeyip Başkan'la kol kola girmiş olan komşular da bizim gibi zincirlenmişti.

Oysa adayla ilgili ne rüyalar görmüşlerdi. Zenginlik gelecekti, refah gelecekti, özgürlük gelecekti adamıza. Sonunda herkes kaybetmişti, Başkan da, ona uyanlar da, uymayıp karşı çıkanlar da. Kazanan yoktu. Belki Lara'nın söylediği gibi bundan sonra rahat bırakılacak olan martılar dışında.

Biz boyun eğdiğimiz ve adım adım içine sürüklendiğimiz zulmün ne kadar kötüleşebileceğini tahmin edemediğimiz için yenilmiştik. Daha o ağaçlar kesildiği, bakkalın masum oğlu dövüldüğü zaman ses çıkarmalı, başkaldırmalıydık. Bunu yapamamıştık. Başkan'ın attığı her adımı büyük bir saflıkla kabul etmiştik. Martılar ise karşı koydukları ve uzlaşmadıkları için kazanmıştı.

Bu durumda boyun eğen insan soyunun mu, yoksa başkaldıran martıların mı daha akıllı olduğu sorusu sorulmalı, değil mi?

Şimdi buradayız işte. İşlediğimiz günahın kefaretini ödüyoruz. Bir adam tarafından kandırılmaya izin vermiş, onun peşine körü körüne takılmış olmamızın kefaretini; başkaldıran insan tanımını unutma, bencillik, öngörüsüzlük, vurdumduymazlık, diktatöre boyun eğme, küçük hırslarımıza kapılma günahlarının kefaretini. Gündelik yaşamımız içinde küçük boyun eğişlerimizden oluşan, küçük günahların hikâyesi bu.

Bize durmadan sorular soruyor, bu eylemi kimin planladığını ortaya çıkarmak istiyorlar.

Bu satırları sızlayan ellerimle nemli, loş hücremde yazıyorum.

Lara'dan haber alamıyorum, başına neler geldiğini bilemiyorum. Yazar'ın da bu hapishanede olup olmadığını bilmiyorum. Hiçbir şey bilmiyorum, hiçbir şey!

Sadece ortalıkta tuhaf bir söylentinin dolaştığını biliyorum. Yemekhanede, çamaşırhanede ya da sorguya götürülürken insanların birbirine fısıldadığına göre, Yazar hâlâ kaçakmış. Adaya dönmek üzere yola çıkarken görenler varmış. Bugünlerde yine adada yaşamaya başlayacakmış. Yeniden ağaçlar ekecekmiş adaya. Evler yapacakmış. Eski arkadaşlarından ona yardıma gidenler olacakmış. Ada yeniden canlanacakmış. Bizler tekrar adada yaşamaya başlayacakmışız. Yeryüzü cennetimizi tekrar kuracakmışız.

Gemiden inerken bizi ayırdıklarında Lara'nın fırlattığı son yaralı bakışı düşünmemeye çalışıyorum. Çünkü düşünürsem çıldırabilirim, aklımı oynatıp kafamı hücre duvarlarına vurarak parçalayabilirim. Bu yüzden düşüncelerimi engelledim, âdeta uyuşturdum kendimi.

Başkan'ın cenazesinin büyük bir devlet töreniyle kaldırıldığını anlattılar bize. Televizyonların canlı yayınlandığı törende, Başkan'ın parçalanmış cesedini koydukları bayrağa sarılı abanoz tabutu bir top arabasına yüklemişler.

Törende, Başkan'ın kahramanlıklarını, bu ülke için göze aldığı fedakârlıkları anlatmış, ülkemize her türlü zararı vermek için yemin etmiş teröristleri ve bu arada bakkalın baş terörist olan oğlunu lanetlemişler. Sonra Başkan, ailesinin ve ulusun yaşlı gözleri arasında kahramanlar mezarlığına defnedilmiş.

İşte, anılar burada bitti. Geceler ve gündüzler boyu, "Sevgilim neredesin, neredesin, neredesin?" sorularıyla delinen beynimi oyalayacak başka bir iş kalmadı.

Sevgili dostum, bir gün Voltaire'in kitabında, İstanbul'daki bahçıvanın, huzur arayan Candide'e verdiği, "Bahçeni yetiştir!" öğüdünü örnek göstererek, "Hikâyeni anlat!" demiştin bana, hatırlıyor musun?

"Sadece hikâyeni anlat!"

Ben de öyle yaptım.

Son Ada'yı yitirişimizin hikâyesini anlattım.